사고력 수학 소마가 개발한 연산학습의 새 기준!!
소마의 **마술같은 원리셈**

소마셈

A5
1학년

수학이 즐거워지는 특별한 수학교실
소마에서 개발한 연산교재 소마셈

소마셈

2002년 대치소마 개원 이후로 끊임없는 교재 연구와 교구의 개발은 소마의 자랑이자 자부심입니다. 교구, 게임, 토론 등의 다양한 활동식 수업으로 스스로 문제해결능력을 키우고, 아이들이 수학에 대한 흥미와 자신감을 가질 수 있도록 차별성 있는 수업을 해 온 소마에서 연산 학습의 새로운 패러다임을 제시합니다.

연산 교육의 현실

연산 교육의 가장 큰 폐해는 '초등 고학년 때 연산이 빠르지 않으면 고생한다.'는 기존 연산 학습지의 왜곡된 마케팅으로 인해 단순 반복을 통한 기계적 연산을 강조하는 것입니다. 하지만, 기계적 반복을 위주로 하는 연산은 개념과 원리가 빠진 연산 학습으로써 아이들이 수학을 싫어하게 만들 뿐 아니라 사고의 확장을 막는 학습방법입니다.

초등수학 교과과정과 연산

초등교육과정에서는 문자와 기호를 사용하지 않고 말로 풀어서 연산의 개념과 원리를 설명하다가 중등교육과정부터 문자와 기호를 사용합니다. 교과서를 살펴보면 모든 연산의 도입에 원리가 잘 설명되어 있습니다. 요즘 현실에서는 연산의 원리를 묻는 서술형 문제도 많이 출제되고 있는데 연산은 연습이 우선이라는 인식이 아직도 지배적입니다.

연산 학습은 어떻게?

연산 교육은 별도로 떼어내어 추상적인 숫자나 기호만 가지고 다뤄서는 절대로 안됩니다. 구체물을 가지고 생각하고 이해한 후, 연산 연습을 하는 것이 필요합니다. 또한, 속도보다 정확성을 위주로 학습하여 실수를 극복할 수 있는 좋은 습관을 갖추는 데에 초점을 맞춰야 합니다.

소마셈 연산학습 방법

10이 넘는 한 자리 덧셈 · **구체물을 통한 개념의 이해**

덧셈과 뺄셈의 기본은 수를 세는 데에 있습니다. 8+4는 8에서 1씩 4번을 더 센 것이라는 개념이 중요합니다. 10의 보수를 이용한 받아 올림을 생각하면 8+4는 (8+2)+2지만 연산 공부를 시작할 때에는 덧셈의 기본 개념에 충실한 것이 좋습니다. 이 책은 구체물을 통해 개념을 이해할 수 있도록 구체적인 예를 든 연산 문제로 구성하였습니다.

가로셈 · **가로셈을 통한 수에 대한 사고력 기르기**

세로셈이 잘못된 방법은 아니지만 연산의 원리는 잊고 받아 올림한 숫자는 어디에 적어야 하는지만을 기억하여 마치 공식처럼 풀게 합니다. 기계적으로 반복하는 연습은 생각없이 연산을 하게 만듭니다. 가로셈을 통해 원리를 생각하고 수를 쪼개고 붙이는 등의 과정에서 키워질 수 있는 수에 대한 사고력도 매우 중요합니다.

곱셈구구 · **곱셈도 개념 이해를 바탕으로**

곱셈구구는 암기에만 초점을 맞추면 부작용이 큽니다. 곱셈은 덧셈을 압축한 것이라는 원리를 이해하며 구구단을 외움으로써 연산을 빨리 할 수 있다는 것을 알게 해야 합니다. 곱셈구구를 외우는 것도 중요하지만 곱셈의 의미를 정확하게 아는 것이 더 중요합니다. 4×3을 할 줄 아는 학생이 두 자리 곱하기 한 자리는 안 배워서 45×3을 못 한다고 말하는 일은 없도록 해야 합니다.

소마셈 학습가이드

K단계 (5, 6, 7세) • 연산을 시작하는 단계

뛰어세기, 거꾸로 뛰어세기를 통해 수의 연속한 성질(linearity)을 이해하고 덧셈, 뺄셈을 공부합니다. 각 권의 호흡은 짧지만 일관성 있는 접근으로 자연스럽게 나선형식 반복학습의 효과가 있도록 하였습니다.

학습대상 : 연산을 시작하는 아이와 한 자리 수 덧셈을 구체물(손가락 등)을 이용하여 해결하는 아이

학습목표 : 수와 연산의 튼튼한 기초 만들기

P단계 (7세, 1학년) • 받아올림이 있는 덧셈, 뺄셈을 배울 준비를 하는 단계

5, 6, 9 뛰어세기를 공부하면서 10을 이용한 더하기, 빼기의 편리함을 알도록 한 후, 가르기와 모으기의 집중학습으로 보수 익히기, 10의 보수를 이용한 덧셈, 뺄셈의 원리를 공부합니다.

학습대상 : 받아올림이 없는 한 자리 수의 덧셈을 할 줄 아는 학생

학습목표 : 받아올림이 있는 연산의 토대 만들기

A단계 (1학년) • 초등학교 1학년 교과과정 연산

받아올림이 있는 한 자리 수의 덧셈, 뺄셈은 연산 전체에 매우 중요한 단계입니다. 원리를 정확하게 알고 A1에서 A4까지 총 4권에서 한 자리 수의 연산을 다양한 과정으로 연습하도록 하였습니다.

학습대상 : 초등학교 1학년 수학교과과정을 공부하는 학생

학습목표 : 10의 보수를 이용한 받아올림이 있는 덧셈, 뺄셈

B단계 (2학년) • 초등학교 2학년 교과과정 연산

두 자리, 세 자리 수의 연산을 다룬 후 곱셈, 나눗셈을 다루는 과정에서 곱셈구구의 암기를 확인하기보다는 곱셈구구를 외우는데 도움이 되고, 곱셈, 나눗셈의 원리를 확장하여 사고할 수 있도록 하는데 초점을 맞추었습니다.

학습대상 : 초등학교 2학년 수학교과과정을 공부하는 학생

학습목표 : 덧셈, 뺄셈의 완성 / 곱셈, 나눗셈의 원리를 정확하게 알고 개념 확장

C단계 (3학년) • 초등학교 3, 4학년 교과과정 연산

B단계까지의 소마셈은 다양한 문제를 통해서 학생들이 즐겁게 연산을 공부하고 원리를 정확하게 알게 하는데 초점을 맞추었다면, C단계는 3학년 과정의 큰 수의 연산과 4학년 과정의 혼합 계산, 괄호를 사용한 식 등, 필수 연산의 연습을 충실히 할 수 있도록 하였습니다.

학습대상 : 초등학교 3, 4학년 수학교과과정을 공부하는 학생

학습목표 : 큰 수의 곱셈과 나눗셈, 혼합 계산

D단계 (4학년) • 초등학교 4, 5학년 교과과정 연산

분모가 같은 분수의 덧셈과 뺄셈, 소수의 덧셈과 뺄셈을 공부하여 초등 4학년 과정 연산을 마무리하고 초등 5학년 연산과정에서 가장 중요한 약수와 배수, 분모가 다른 분수의 덧셈과 뺄셈을 충분히 익힐 수 있도록 하였습니다.

학습대상 : 초등학교 4, 5학년 수학교과과정을 공부하는 학생

학습목표 : 분모가 같은 분수의 덧셈과 뺄셈, 소수의 덧셈과 뺄셈, 분모가 다른 분수의 덧셈과 뺄셈

소마셈 단계별 학습내용

K단계 추천연령 : 5, 6, 7세

단계	K1	K2	K3	K4
권별 주제	10까지의 더하기와 빼기 1	20까지의 더하기와 빼기 1	10까지의 더하기와 빼기 2	20까지의 더하기와 빼기 2
단계	K5	K6	K7	K8
권별 주제	10까지의 더하기와 빼기 3	20까지의 더하기와 빼기 3	20까지의 더하기와 빼기 4	7까지의 가르기와 모으기

P단계 추천연령 : 7세, 1학년

단계	P1	P2	P3	P4
권별 주제	30까지의 더하기와 빼기 5	30까지의 더하기와 빼기 6	30까지의 더하기와 빼기 10	30까지의 더하기와 빼기 9
단계	P5	P6	P7	P8
권별 주제	9까지의 가르기와 모으기	10 가르기와 모으기	10을 이용한 더하기	10을 이용한 빼기

A단계 추천연령 : 1학년

단계	A1	A2	A3	A4
권별 주제	덧셈구구	뺄셈구구	세 수의 덧셈과 뺄셈	□가 있는 덧셈과 뺄셈
단계	A5	A6	A7	A8
권별 주제	(두 자리 수) + (한 자리 수)	(두 자리 수) - (한 자리 수)	두 자리 수의 덧셈과 뺄셈	□가 있는 두 자리 수의 덧셈과 뺄셈

B단계 추천연령 : 2학년

단계	B1	B2	B3	B4
권별 주제	(두 자리 수) + (두 자리 수)	(두 자리 수) - (두 자리 수)	세 자리 수의 덧셈과 뺄셈	덧셈과 뺄셈의 활용
단계	B5	B6	B7	B8
권별 주제	곱셈	곱셈구구	나눗셈	곱셈과 나눗셈의 활용

C단계 추천연령 : 3학년

단계	C1	C2	C3	C4
권별 주제	두 자리 수의 곱셈	두 자리 수의 곱셈과 활용	두 자리 수의 나눗셈	세 자리 수의 나눗셈과 활용
단계	C5	C6	C7	C8
권별 주제	큰 수의 곱셈	큰 수의 나눗셈	혼합 계산	혼합 계산의 활용

D단계 추천연령 : 4학년

단계	D1	D2	D3	D4
권별 주제	분모가 같은 분수의 덧셈과 뺄셈(1)	분모가 같은 분수의 덧셈과 뺄셈(2)	소수의 덧셈과 뺄셈	약수와 배수
단계	D5	D6		
권별 주제	분모가 다른 분수의 덧셈과 뺄셈(1)	분모가 다른 분수의 덧셈과 뺄셈(2)		

구성과 특징

① 수 이야기

생활 속의 수 이야기를 통해 수와 연산의 이해를 돕습니다. 수의 역사나 재미있는 연산 문제를 접하면서 수학이 재미있는 공부가 되도록 합니다.

② 원리 & 연습

구체물 또는 그림을 통해 연산의 원리를 쉽게 이해하고, 원리의 이해를 바탕으로 연산이 익숙해지도록 연습합니다.

소마의 마술같은 원리셈

사고력 연산

반복적인 연산에서 나아가 배운 원리를 활용하여 확장된 문제를 해결합니다. 어려운 문제를 싣기보다 다양한 생각을 할 수 있는 내용으로 구성하였습니다.

Drill (보충학습)

주차별 주제에 대한 연습이 더 필요한 경우 보충학습을 활용합니다.

TIP 연산과정의 확인이 필수적인 주제는 Drill 의 양을 2배로 담았습니다.

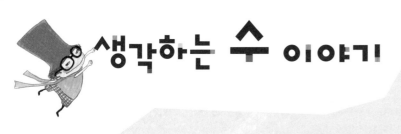

거울에 비친 수

준서와 지아가 성냥개비로 수를 만들었어요.

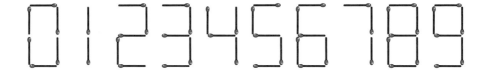

위의 숫자를 이용하여 덧셈식을 만들었는데, 준서와 지아는 서로 다른 답을 말하고 있어요.

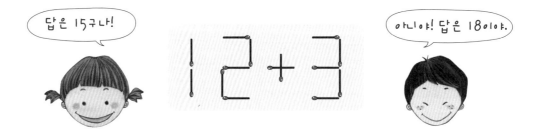

준서는 왜 답을 18이라고 생각했을까요? 점선 위에 거울을 세워 비춰 보세요.

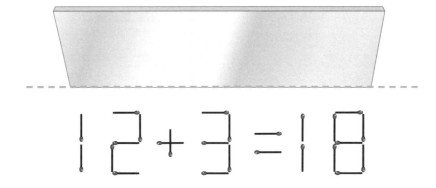

소마셈 A5 - 1주차

두 자리 수 알아보기

십의 자리 숫자와 일의 자리 숫자

🌱 상자 안에 수가 적힌 구슬이 여러 개 들어 있습니다. 조건에 알맞은 구슬에 △표 하세요.

십의 자리 숫자가 2인 수

십의 자리 숫자가 5인 수

일의 자리 숫자가 3인 수

일의 자리 숫자가 2인 수

십의 자리 숫자가 8인 수

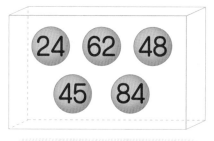

일의 자리 숫자가 4인 수

TIP

다음과 같이 수 51의 십의 자리 숫자는 50이고, 일의 자리 숫자는 1입니다.

5 1
십의 자리 숫자 ◄——┘ └——► 일의 자리 숫자

🌱 숫자 카드가 여러 장 있습니다. 조건에 알맞은 수를 찾아 □ 안에 써넣으세요.

| 25 | 17 | 52 | 77 | 72 |

일의 자리 숫자가 2인 수

52 , 72

십의 자리 숫자가 7인 수

□ , □

일의 자리 숫자가 7인 수

□ , □

숫자 2가 들어있는 수

□ , □ , □

십의 자리 숫자가
일의 자리 숫자보다 큰 수

□ , □

십의 자리 숫자와
일의 자리 숫자의 합이 7인 수

□ , □

조건에 맞는 두 자리 수

 숫자 카드를 한 번씩 사용하여 두 자리 수를 만들려고 합니다. 조건에 알맞은 수를 모두 찾아 ○표 하세요.

십의 자리 숫자가 2인 수

| 2 | 5 | 4 | ➡ ㉕ 52, ㉔ 26, 42

십의 자리 숫자가 2인 수

| 2 | 8 | 1 | ➡ 12, 21, 28, 29, 82

십의 자리 숫자가 4인 수

| 6 | 4 | 5 | ➡ 54, 56, 45, 27, 46

십의 자리 숫자가 5인 수

| 1 | 5 | 9 | ➡ 51, 95, 15, 59, 19

십의 자리 숫자가 4인 수

| 3 | 4 | 7 | ➡ 41, 47, 37, 34, 43

숫자 카드를 한 번씩 사용하여 두 자리 수를 만들려고 합니다. 조건에 알맞은 수를 찾아 □ 안에 써넣으세요.

십의 자리 숫자가 3인 수

32 , 35

십의 자리 숫자가 5인 수

☐ , ☐

십의 자리 숫자가 7인 수

☐ , ☐

십의 자리 숫자가 6인 수

☐ , ☐

숫자 카드로 만든 두 자리 수

🌱 숫자 카드를 한 번씩 사용하여 두 자리 수를 만든 것입니다.

4 5 1	1 4 → 14	1 5 → 15
	4 1 → 41	4 5 → 45
	5 1 → 51	5 4 → 54

왼쪽 숫자 카드로 만들 수 있는 두 자리 수를 찾아 ○표 하세요.

2 1 6 ➡ ⑫, 15, 20, 46, ㉖①

3 4 6 ➡ 30, 63, 43, 35, 73

5 6 8 ➡ 66, 85, 28, 58, 25

3 7 9 ➡ 37, 70, 38, 97, 13

숫자 카드를 한 번씩 사용하여 두 자리 수를 모두 만들어 보세요.

| 3 6 | ➡ | 36 , 63 |

| 7 2 | ➡ | ☐ , ☐ |

| 4 9 | ➡ | ☐ , ☐ |

| 1 2 6 | ➡ | ☐ , ☐ , ☐ , ☐ , ☐ , ☐ |

| 3 5 8 | ➡ | ☐ , ☐ , ☐ , ☐ , ☐ , ☐ |

가장 큰 두 자리 수

🌱 숫자 카드를 한 번씩 사용하여 가장 큰 두 자리 수를 만들어 보세요.

| 3 | 5 | 2 | 4 |

54

| 1 | 3 | 4 | 6 |

| 3 | 9 | 4 | 5 |

| 7 | 8 | 5 | 2 |

| 1 | 3 | 7 | 0 |

| 5 | 6 | 4 | 1 |

🌱 주머니 안의 숫자 카드로 만들 수 있는 가장 큰 두 자리 수로 알맞은 것을 찾아 선을 그어 보세요.

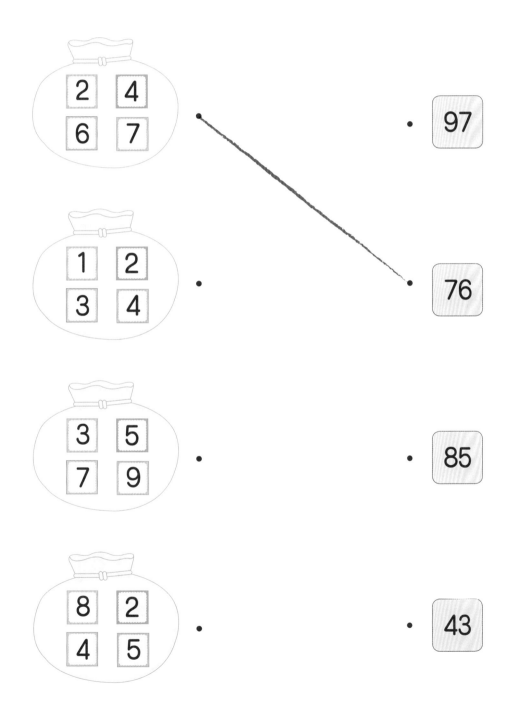

가장 작은 두 자리 수

 숫자 카드를 한 번씩 사용하여 가장 작은 두 자리 수를 만들어 보세요.

| 3 | 0 | 7 | 1 |

10

| 2 | 4 | 1 | 3 |

| 4 | 5 | 6 | 7 |

| 8 | 5 | 3 | 4 |

| 2 | 5 | 4 | 7 |

| 9 | 6 | 8 | 3 |

🌱 숫자 카드로 만들 수 있는 가장 큰 두 자리 수에 ○표, 가장 작은 두 자리 수에 △표 하세요.

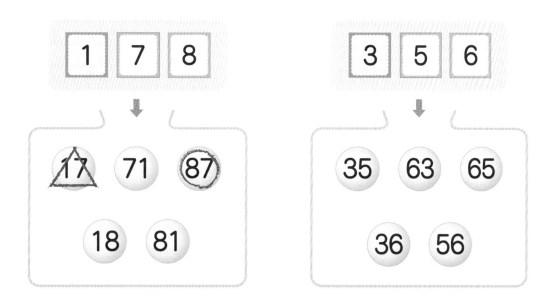

| 1 | 7 | 8 |

17　71　87

18　81

| 3 | 5 | 6 |

35　63　65

36　56

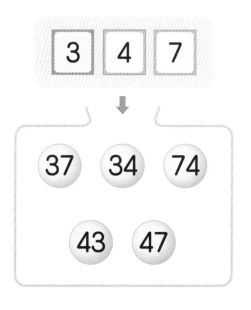

| 3 | 4 | 7 |

37　34　74

43　47

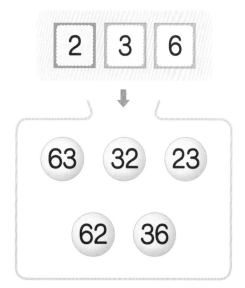

| 2 | 3 | 6 |

63　32　23

62　36

소마셈 A5 - 2주차

받아올림이 없는 덧셈

 각 자리의 숫자를 그대로 써서 덧셈을 해 보세요.

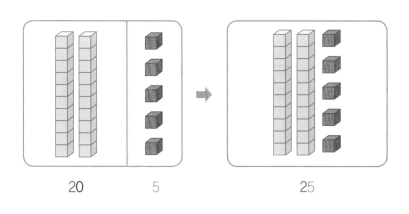

20 + 5 = 25

20   5   25

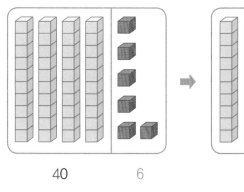 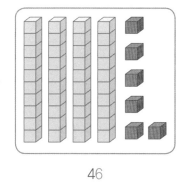

40 + 6 =

40   6   46

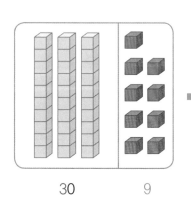 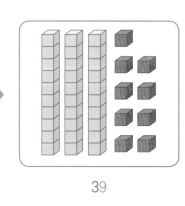

30 + 9 =

30   9   39

□ 안에 알맞은 수를 써넣으세요.

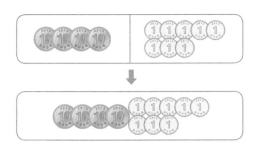

40 + 8 = 48

60 + 2 =

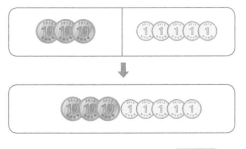

30 + 5 =

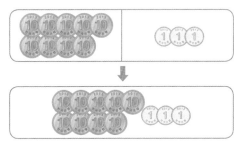

90 + 3 =

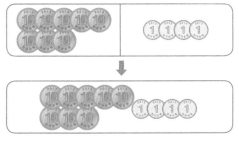

80 + 4 =

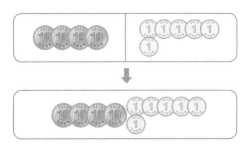

40 + 6 =

□ 안에 알맞은 수를 써넣으세요.

40 + 6 = 46   30 + 7 =

60 + 2 =   40 + 4 =

50 + 3 =   90 + 5 =

50 + 5 =   70 + 3 =

70 + 8 =   20 + 6 =

80 + 5 =   80 + 9 =

(몇십 몇) + (몇)

 일의 자리 숫자끼리 더하여 덧셈을 해 보세요.

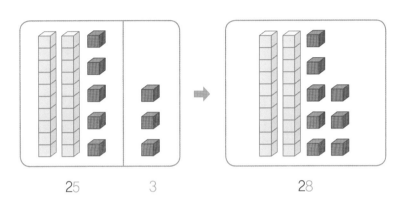

25 + 3 = 28

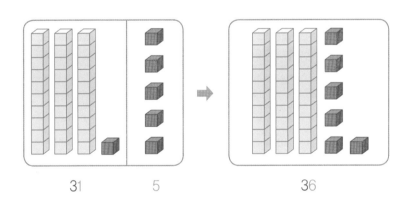

31 + 5 = ☐

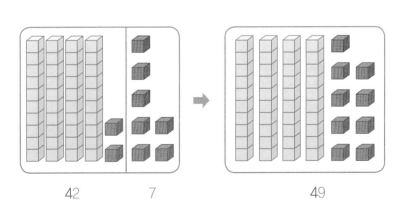

42 + 7 = ☐

 □ 안에 알맞은 수를 써넣으세요.

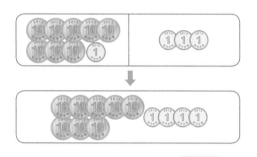

$$81 + 3 = \boxed{84}$$

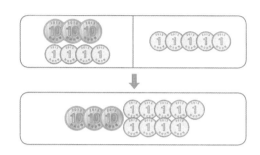

$$34 + 5 = \boxed{}$$

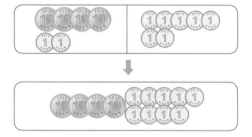

$$42 + 7 = \boxed{}$$

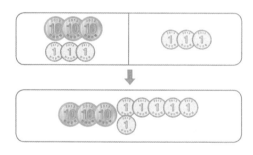

$$33 + 3 = \boxed{}$$

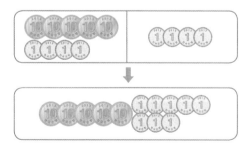

$$54 + 4 = \boxed{}$$

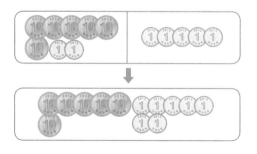

$$62 + 5 = \boxed{}$$

□ 안에 알맞은 수를 써넣으세요.

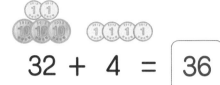

32 + 4 = 36

41 + 3 = ☐

57 + 2 = ☐

53 + 5 = ☐

63 + 3 = ☐

83 + 2 = ☐

52 + 4 = ☐

73 + 4 = ☐

61 + 2 = ☐

82 + 6 = ☐

23 + 4 = ☐

44 + 5 = ☐

바꾸어 더하기

 □ 안에 알맞은 수를 써넣으세요.

➡ 22 + 5 = 27

➡ 5 + 22 = 27

➡ 34 + 2 =

➡ 2 + 34 =

➡ 41 + 4 =

➡ 4 + 41 =

➡ 53 + 6 =

➡ 6 + 53 =

□ 안에 알맞은 수를 써넣으세요.

26 + 2 = ☐

2 + 72 = ☐

5 + 42 = ☐

3 + 85 = ☐

36 + 3 = ☐

92 + 5 = ☐

70 + 4 = ☐

48 + 1 = ☐

7 + 51 = ☐

6 + 60 = ☐

53 + 5 = ☐

5 + 62 = ☐

덧셈 퍼즐

 □ 안에 알맞은 수를 써넣으세요.

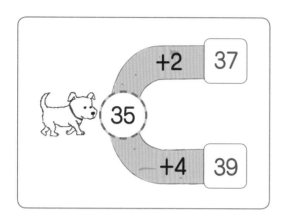

35 +2 = 37
35 +4 = 39

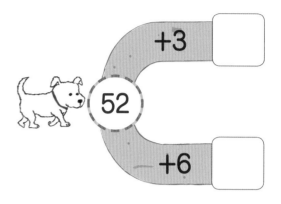

52 +3
52 +6

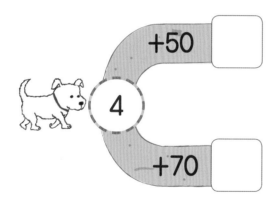

4 +50
4 +70

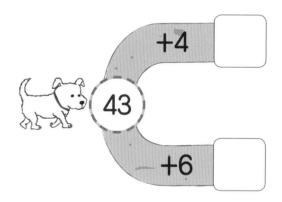

43 +4
43 +6

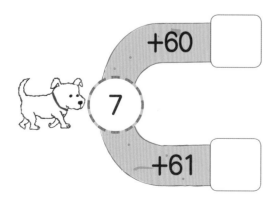

7 +60
7 +61

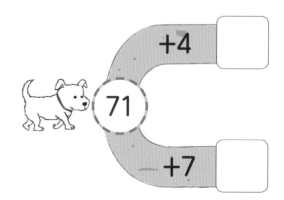

71 +4
71 +7

올바른 계산 결과가 되도록 선을 그어 보세요.

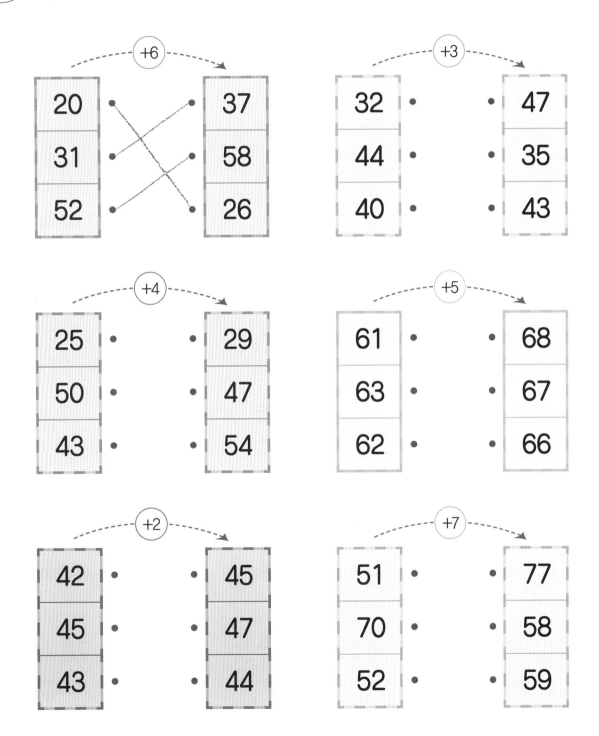

올바른 계산 결과가 되도록 선을 그어 보세요.

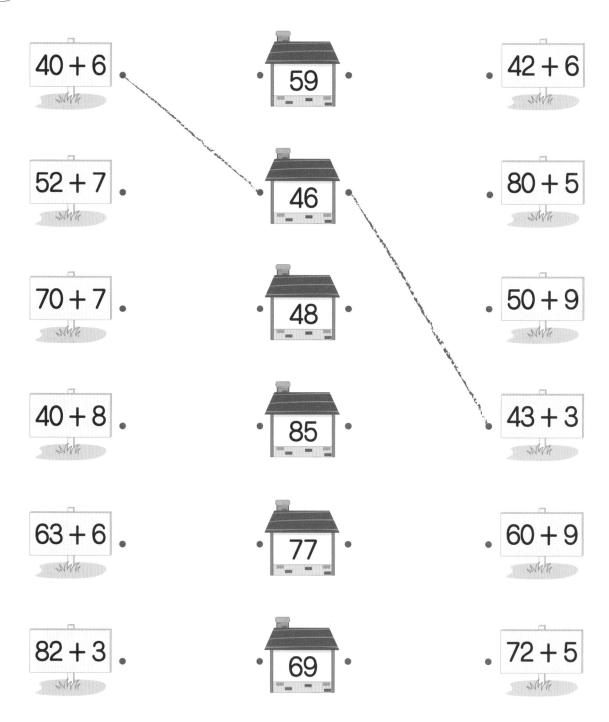

40 + 6	59	42 + 6
52 + 7	46	80 + 5
70 + 7	48	50 + 9
40 + 8	85	43 + 3
63 + 6	77	60 + 9
82 + 3	69	72 + 5

문장제

 이야기를 읽고, 동준이가 오늘 줄넘기를 넘기로 한 횟수를 구하세요.

동준이는 매일 아침 아빠와 줄넘기를 합니다.

처음에는 몇 번 넘기도 쉽지 않았지만 요즘은 매일 50번씩 줄넘기를 합니다.

"와~ 동준이 실력이 많이 늘었구나!" 아빠가 말했습니다.

"어제는 50번을 넘었었지? 이제 동준이 실력도 많이 늘었으니까 오늘은 어제보다 5번 더 넘어보면 어떨까?"

그러자 동준이가 대답했습니다.

"좋아요! 오늘부터는 5번 더 하기로 해요."

동준이가 오늘 줄넘기를 넘기로 한 횟수는 모두 몇 번일까요?

식 : 50 + 5 = 55 　　　　　□ 번

 다음을 읽고 알맞은 덧셈식을 쓰고, 답을 구하세요.

준영이는 어제 동화책 42쪽을 읽었고, 오늘은 어제보다 6쪽을 더 읽었습니다. 준영이는 오늘 동화책을 모두 몇 쪽 읽었을까요?

식 :

쪽

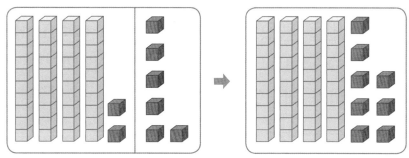

바구니에 귤 30개와 사과 9개가 있습니다. 바구니에 있는 귤과 사과는 모두 몇 개일까요?

식 :

개

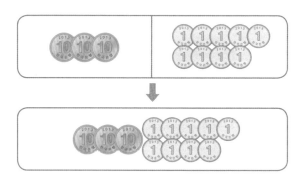

다음을 읽고 알맞은 덧셈식을 쓰고, 답을 구하세요.

주머니 안에 빨간색 구슬이 62개, 파란색 구슬이 4개 있습니다. 주머니 안에 있는 구슬은 모두 몇 개일까요?

식 : _____ 　　　⬜ 개

연못에 개구리 32마리와 오리 6마리가 있습니다. 연못에 있는 개구리와 오리는 모두 몇 마리일까요?

식 : _____ 　　　⬜ 마리

운동장에 여자 어린이가 70명 있습니다. 남자 어린이는 여자 어린이보다 4명 더 있습니다. 남자 어린이는 모두 몇 명일까요?

식 : _____ 　　　⬜ 명

 다음을 읽고 알맞은 덧셈식을 쓰고, 답을 구하세요.

주영이의 엄마는 34살입니다. 아빠는 엄마보다 5살 더 많습니다. 주영이의 아빠는 몇 살일까요?

식 : _____   살

사과나무 61그루와 배나무 7그루가 있습니다. 사과나무와 배나무는 모두 몇 그루일까요?

식 : _____   그루

흰색 바둑돌 73개가 있습니다. 검은색 바둑돌은 흰색 바둑돌보다 4개가 더 많습니다. 검은색 바둑돌은 몇 개일까요?

식 : _____   개

소마셈 – A5   3주차

몇십 만들어 더하기 (1)

□ 구하기

 그림을 보고 일의 자리 수의 합을 10으로 만들어 □ 를 구하세요.

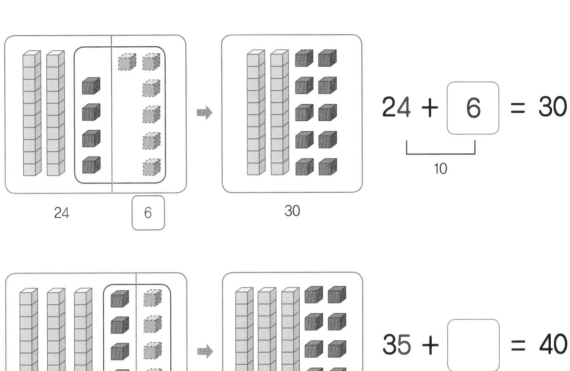

$$24 + \boxed{6} = 30$$

24   6   30

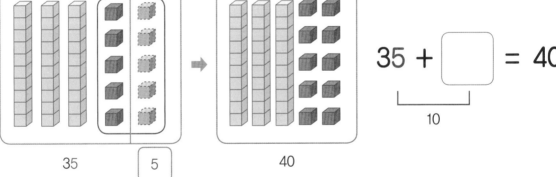

$$35 + \boxed{} = 40$$

35   5   40

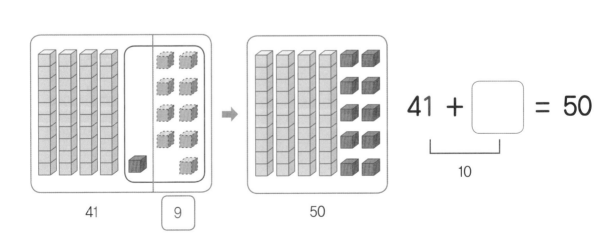

$$41 + \boxed{} = 50$$

41   9   50

□ 안에 알맞은 수를 써넣으세요.

42 + $\boxed{8}$ = 50   31 + $\boxed{}$ = 40

$\underbrace{}_{10}$ $\underbrace{}_{10}$

26 + $\boxed{}$ = 30   44 + $\boxed{}$ = 50

57 + $\boxed{}$ = 60   63 + $\boxed{}$ = 70

31 + $\boxed{}$ = 40   48 + $\boxed{}$ = 50

18 + $\boxed{}$ = 20   33 + $\boxed{}$ = 40

43 + $\boxed{}$ = 50   74 + $\boxed{}$ = 80

몇십 만들어 더하기

 그림을 보고 뒤의 수를 갈라 몇십을 만들어 덧셈을 해 보세요.

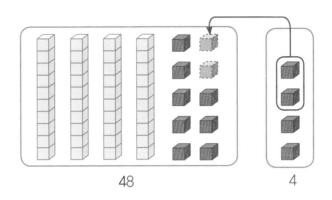

48   4

$$48 + 4 = 48 + 2 + 2 = 50 + 2 = \boxed{52}$$

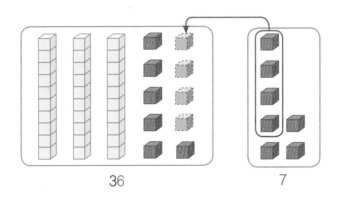

36   7

$$36 + 7 = 36 + 4 + 3 = 40 + 3 = \boxed{}$$

 두 자리 수가 몇십이 되도록 뒤의 수를 갈라 먼저 더한 후 남은 수를 더하도록 합니다.

그림을 보고 뒤의 수를 갈라 몇십을 만들어 덧셈을 해 보세요.

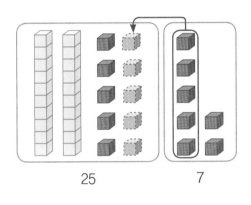

25

7

$25 + 7 = 30 + 2 = \boxed{}$
　　　　5　2

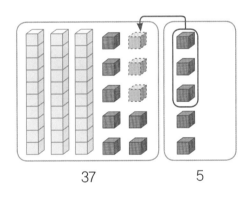

37

5

$37 + 5 = 40 + 2 = \boxed{}$
　　　3　2

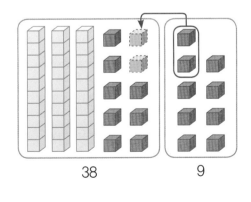

38

9

$38 + 9 = 40 + 7 = \boxed{}$
　　　2　7

🌱 뒤의 수를 갈라 몇십을 만들어 덧셈을 해 보세요.

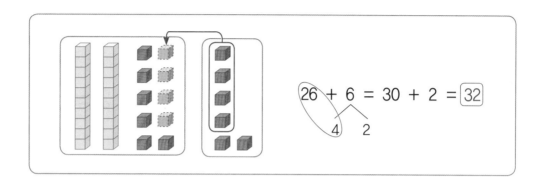

26 + 6 = 30 + 2 = 32
        4   2

27 + 9 =   34 + 8 =
    3 6

16 + 7 =   54 + 8 =

34 + 6 =   37 + 7 =

48 + 5 =   33 + 9 =

64 + 7 =   35 + 6 =

덧셈 퍼즐

 □ 안에 알맞은 수를 써넣으세요.

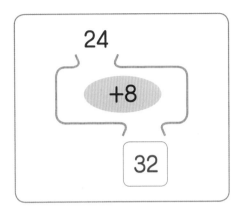

24
+8
32

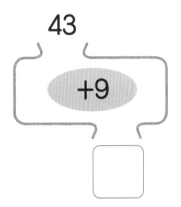

43
+9

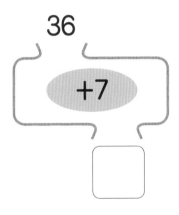

36
+7

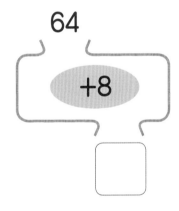

64
+8

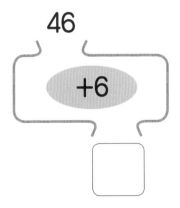

46
+6

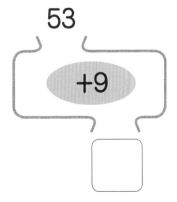

53
+9

🌱 올바른 계산 결과가 되도록 길을 그려 보세요.

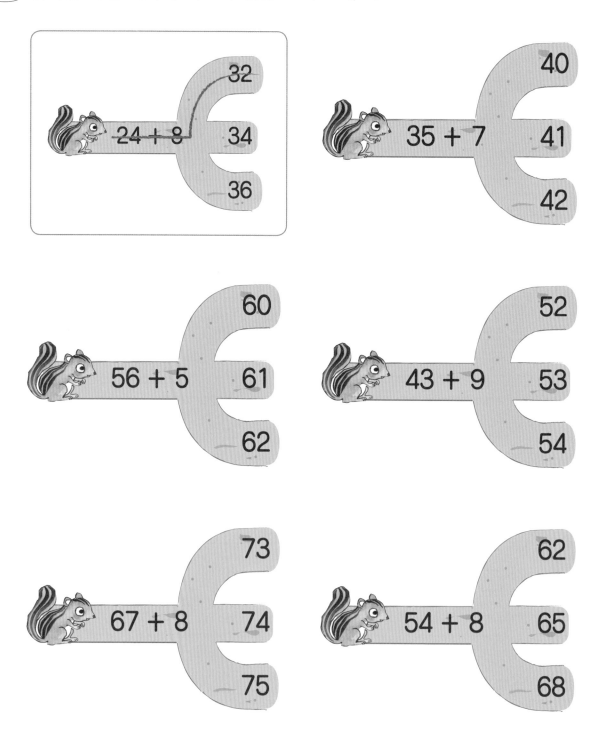

32

24 + 8   34

36

40

35 + 7   41

42

60

56 + 5   61

62

52

43 + 9   53

54

73

67 + 8   74

75

62

54 + 8   65

68

🌱 올바른 계산 결과가 되도록 길을 그려 보세요.

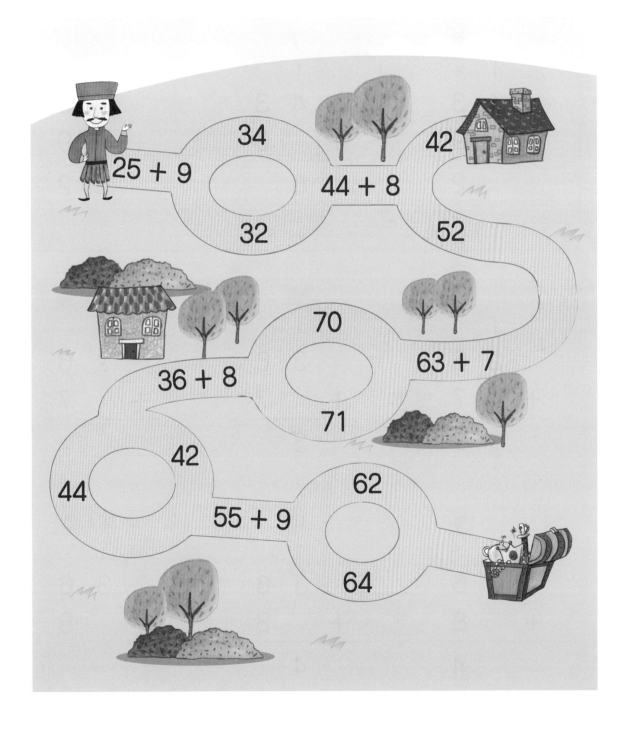

세로셈

🌱 일의 자리, 십의 자리의 위치를 맞추어 □ 안에 알맞은 수를 써넣으세요.

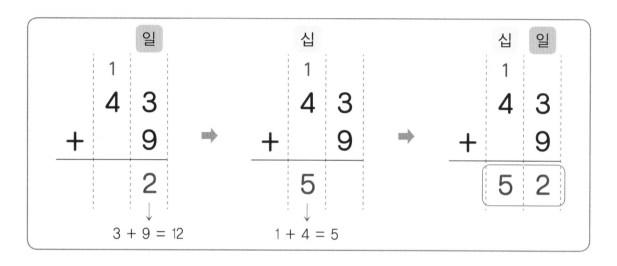

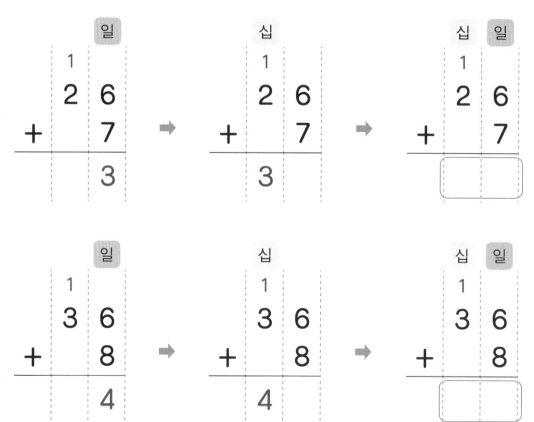

□ 안에 알맞은 수를 써넣으세요.

```
   1
   3 5
 +   9
 ─────
   4 4
```

```
   5 4
 +   7
 ─────
```

```
   4 8
 +   9
 ─────
```

```
   3 6
 +   6
 ─────
```

```
   4 5
 +   6
 ─────
```

```
   7 3
 +   8
 ─────
```

```
   4 7
 +   7
 ─────
```

```
   6 3
 +   9
 ─────
```

```
   5 5
 +   7
 ─────
```

올바른 계산 결과를 찾아 선을 그어 보세요.

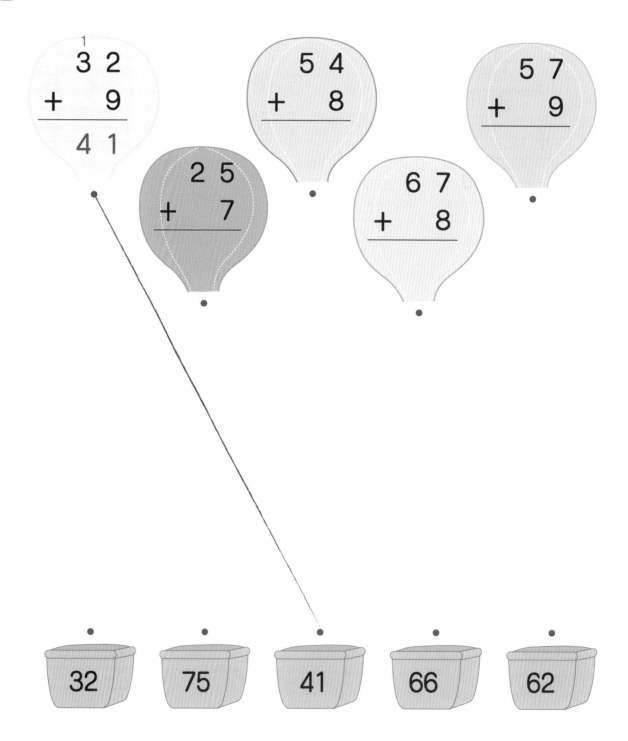

문장제

 이야기를 읽고, 주미의 생일이 며칠인지 구하세요.

어느 날 아침, 주미는 잠에서 깨어 눈을 뜨자마자 달력 앞으로 달려왔습니다. 그 모습을 본 엄마가 주미에게 말했습니다.

"주미야 무슨 일이니?"

달력을 보며 주미가 대답했습니다.

"엄마! 오늘이 3월 23일이니까 내 생일이 되려면 8일이나 더 있어야 되는 것 맞죠?"

"응. 주미가 생일이 많이 기다려지나 보구나. 며칠 후에 근사한 파티를 하도록 하자."

주미의 생일은 3월 며칠일까요?

식 : _____ ☐ 일

 다음을 읽고 알맞은 덧셈식을 쓰고, 답을 구하세요.

기차에 48명의 사람이 타고 있습니다. 다음 역에서 내린 사람은 없고 4명이
더 탔다면 기차에 타고 있는 사람은 모두 몇 명일까요?

식 :

명

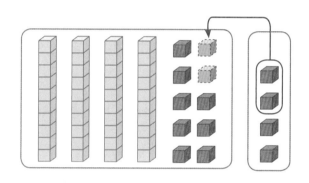

소마 초등학교 어린이 35명이 소풍을 가기로 했습니다. 선생님 6명이 함께
간다면 소풍을 가는 사람은 모두 몇 명일까요?

식 :

명

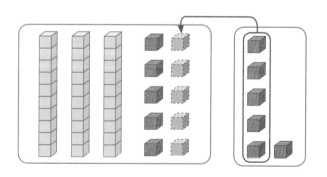

다음을 읽고 알맞은 덧셈식을 쓰고, 답을 구하세요.

파란색 풍선이 54개, 초록색 풍선이 9개있습니다. 풍선은 모두 몇 개일까요?

식 : 　　　　　　　　　　　　　　　　　　　　　　　　 개

매표소에 45명이 줄을 서 있습니다. 7명이 더 왔다면 줄을 서 있는 사람은 모두 몇 명일까요?

식 : 　　　　　　　　　　　　　　　　　　　　　　　　 명

수정이는 구슬 36개를 가지고 있습니다. 동민이는 수정이보다 9개를 더 가지고 있습니다. 동민이가 가진 구슬은 몇 개일까요?

식 : 　　　　　　　　　　　　　　　　　　　　　　　　 개

 다음을 읽고 알맞은 덧셈식을 쓰고, 답을 구하세요.

초콜릿 27개와 사탕 8개가 있습니다. 초콜릿과 사탕은 모두 몇 개일까요?

식 : _____   ☐ 개

선영이의 아빠는 34살입니다. 고모는 아빠보다 7살이 더 많습니다. 선영이의 고모는 몇 살일까요?

식 : _____   ☐ 살

강아지 42마리와 고양이 9마리가 있습니다. 강아지와 고양이는 모두 몇 마리일까요?

식 : _____   ☐ 마리

소마셈 – A5 4주차

몇십 만들어 더하기 (2)

몇십 만들어 더하기

 그림을 보고 뒤의 수를 갈라 몇십을 만들어 덧셈을 해 보세요.

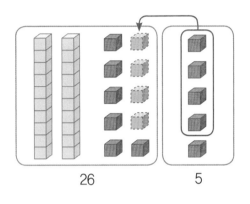

$$26 + 5 = 30 + 1 = \boxed{}$$

$$4 \qquad 1$$

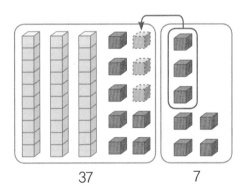

$$37 + 7 = 40 + 4 = \boxed{}$$

$$3 \qquad 4$$

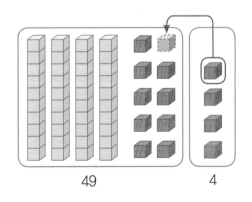

$$49 + 4 = 50 + 3 = \boxed{}$$

$$1 \qquad 3$$

그림을 보고 뒤의 수를 갈라 몇십을 만들어 덧셈을 해 보세요.

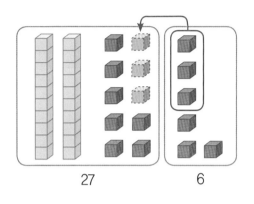

27 + 6 = 30 + ☐ = ☐

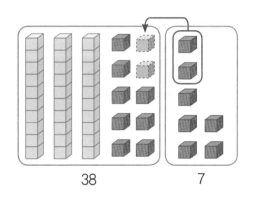

38 + 7 = 40 + ☐ = ☐

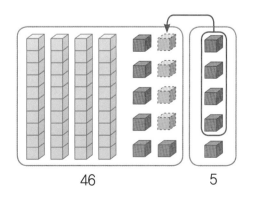

46 + 5 = 50 + ☐ = ☐

 뒤의 수를 갈라 몇십을 만들어 덧셈을 해 보세요.

28 + 5 = ☐

17 + 7 = ☐

2   3

37 + 5 = ☐

27 + 6 = ☐

19 + 7 = ☐

46 + 5 = ☐

28 + 6 = ☐

56 + 6 = ☐

49 + 5 = ☐

57 + 6 = ☐

49 + 6 = ☐

68 + 4 = ☐

수직선과 수 막대

 수직선을 보고, □ 안에 알맞은 수를 써넣으세요.

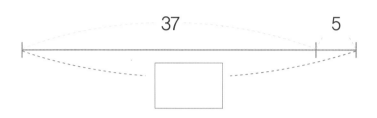

$$37 + 5 = \boxed{}$$

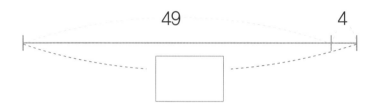

$$49 + 4 = \boxed{}$$

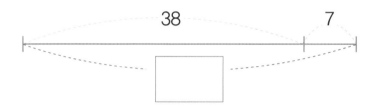

$$38 + 7 = \boxed{}$$

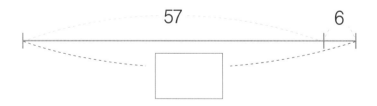

$$57 + 6 = \boxed{}$$

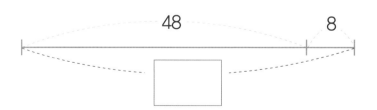

$$48 + 8 = \boxed{}$$

수 막대를 보고, ☐ 안에 알맞은 수를 써넣으세요.

47	7
54	

$47 + 7 = \boxed{54}$

38	5

$38 + 5 = \boxed{}$

56	6

$56 + 6 = \boxed{}$

39	8

$39 + 8 = \boxed{}$

68	6

$68 + 6 = \boxed{}$

덧셈 퍼즐

🌱 □ 안에 알맞은 수를 써넣으세요.

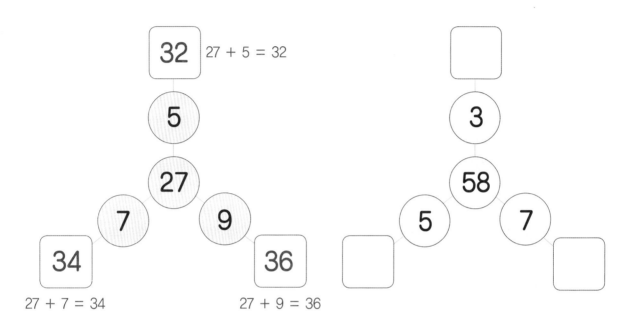

32   27 + 5 = 32

5

27

7   9

34   36

27 + 7 = 34   27 + 9 = 36

3

58

5   7

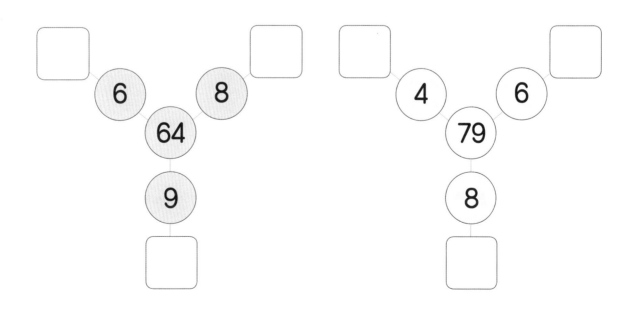

6   8

64

9

4   6

79

8

🌱 올바른 계산 결과가 되도록 길을 그려 보세요.

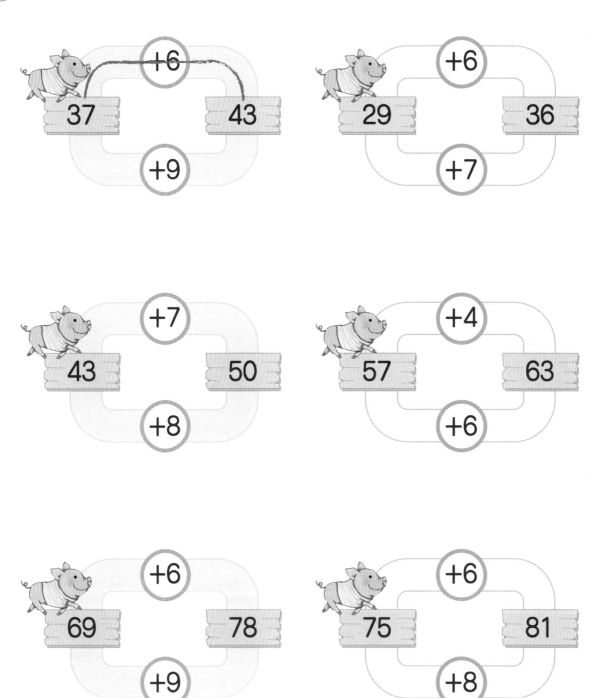

월
일

올바른 계산 결과를 찾아 선을 그어 보세요.

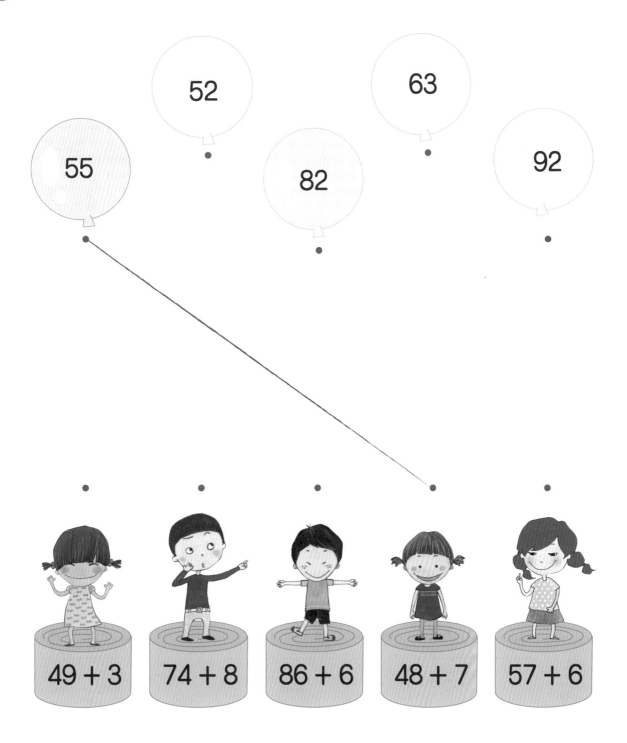

52

63

55

82

92

49 + 3

74 + 8

86 + 6

48 + 7

57 + 6

세로셈

🌱 일의 자리, 십의 자리 위치에 맞추어 □ 안에 알맞은 수를 써넣으세요.

일

```
    1
   3 | 7
 +    | 5
 ───────
      2
      ↓
  7 + 5 = 12
```

➡

십

```
    1
   3 | 7
 +    | 5
 ───────
   4
   ↓
  1 + 3 = 4
```

➡

십	일

```
    1
   3 | 7
 +    | 5
 ───────
   4 | 2
```

일

```
    1
   3 | 5
 +    | 6
 ───────
      1
```

➡

십

```
    1
   3 | 5
 +    | 6
 ───────
   4
```

➡

십	일

```
    1
   3 | 5
 +    | 6
 ───────
```

일

```
    1
   5 | 9
 +    | 4
 ───────
      3
```

➡

십

```
    1
   5 | 9
 +    | 4
 ───────
   6
```

➡

십	일

```
    1
   5 | 9
 +    | 4
 ───────
```

□ 안에 알맞은 수를 써넣으세요.

```
    1
   3 7              4 6              5 8
 +   3            +   4            +   5
 ┌─────┐          ┌─────┐          ┌─────┐
 │ 4 0 │          │     │          │     │
 └─────┘          └─────┘          └─────┘


   6 7              3 8              4 7
 +   8            +   8            +   6
 ┌─────┐          ┌─────┐          ┌─────┐
 │     │          │     │          │     │
 └─────┘          └─────┘          └─────┘


   5 8              4 9              7 3
 +   7            +   9            +   7
 ┌─────┐          ┌─────┐          ┌─────┐
 │     │          │     │          │     │
 └─────┘          └─────┘          └─────┘
```

 올바른 계산 결과를 찾아 선을 그어 보세요.

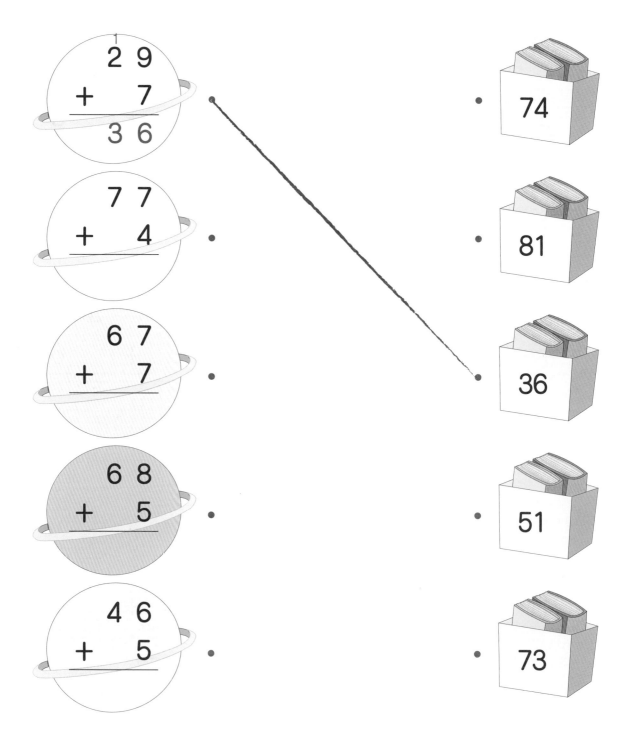

문장제

 이야기를 읽고, 지수네 반 학생 수를 구하세요.

오늘 지수네 반에서는 미술시간에 도화지로 모자를 만들기로 했습니다.

"여러분! 준비물은 모두 가져 왔나요? 가져온 사람은 손을 들어 보세요."라고 선생님께서 말씀하셨습니다.

그러자 29명의 학생들이 손을 들었습니다.

"그럼 5명은 안 가져왔구나. 오늘은 선생님이 도화지를 줄 테니 다음 번 준비물은 꼭 챙겨오도록 하세요!"

지수네 반 학생은 모두 몇 명일까요?

식 : _____ ☐ 명

🌱 다음을 읽고 알맞은 덧셈식을 쓰고, 답을 구하세요.

현주는 사탕 38개를 가지고 있고, 민지는 사탕 7개를 가지고 있습니다. 현주와 민지가 가진 사탕은 모두 몇 개일까요?

식 :

◻ 개

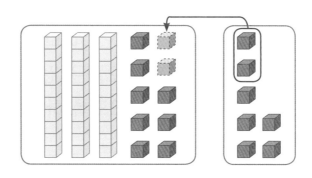

형규는 구슬을 47개 가지고 있습니다. 문구점에서 구슬 4개를 더 샀다면 형규가 가진 구슬은 모두 몇 개일까요?

식 :

◻ 개

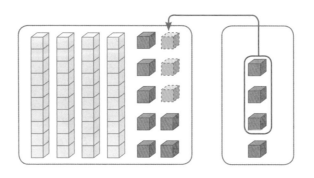

다음을 읽고 알맞은 덧셈식을 쓰고, 답을 구하세요.

호빵이 26개 있습니다. 엄마가 호빵 6개를 더 가지고 오셨다면 호빵은 모두 몇 개일까요?

식 :

개

영주는 56장의 우표를 모았습니다. 8장을 더 모았다면 영주가 가진 우표는 모두 몇 장일까요?

식 :

장

꽃병에 장미 48송이와 해바라기 6송이가 있습니다. 꽃병의 꽃은 모두 몇 송이일까요?

식 :

송이

 다음을 읽고 알맞은 덧셈식을 쓰고, 답을 구하세요.

상자 안에 야구공 59개와 축구공 5개가 있습니다. 상자 안의 야구공과 축구공은 모두 몇 개일까요?

식 : 　　　　　　　　　　　　　　　　　　　　　　 ☐ 개

희연이는 볼펜 38자루, 색연필 8자루를 가지고 있습니다. 희연이가 가진 볼펜과 색연필은 모두 몇 자루일까요?

식 : 　　　　　　　　　　　　　　　　　　　　　　 ☐ 자루

검은 고양이 27마리와 흰 고양이 6마리가 있습니다. 고양이는 모두 몇 마리일까요?

식 : 　　　　　　　　　　　　　　　　　　　　　　 ☐ 마리

보충학습

Drill

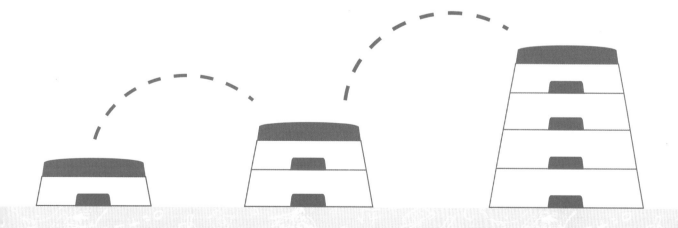

두 자리 수 알아보기

숫자 카드가 여러 장 있습니다. 조건에 알맞은 수를 찾아 □ 안에 써넣으세요.

| 45 | 33 | 54 | 41 | 85 |

십의 자리 숫자가 4인 수

☐ , ☐

일의 자리 숫자가 5인 수

☐ , ☐

숫자 5가 들어있는 수

☐ , ☐ , ☐

십의 자리 숫자와
일의 자리 숫자가 똑같은 수

☐

십의 자리 숫자가
일의 자리 숫자보다 큰 수

☐ , ☐ , ☐

십의 자리 숫자와
일의 자리 숫자의 합이 9인 수

☐ , ☐

숫자 카드를 한 번씩 사용하여 가장 큰 두 자리 수와 가장 작은 두 자리 수를 만들어 보세요.

| 3 5 2 | 가장 큰 두 자리 수 : 53 |
| | 가장 작은 두 자리 수 : 23 |

| 1 3 4 | 가장 큰 두 자리 수 : |
| | 가장 작은 두 자리 수 : |

| 3 9 4 | 가장 큰 두 자리 수 : |
| | 가장 작은 두 자리 수 : |

| 7 8 6 | 가장 큰 두 자리 수 : |
| | 가장 작은 두 자리 수 : |

| 2 4 8 | 가장 큰 두 자리 수 : |
| | 가장 작은 두 자리 수 : |

숫자 카드가 여러 장 있습니다. 조건에 알맞은 수를 찾아 □ 안에 써넣으세요.

| 63 | 35 | 16 | 33 | 62 |

십의 자리 숫자가 6인 수

□ , □

일의 자리 숫자가 3인 수

□ , □

숫자 3이 들어있는 수

□ , □ , □

십의 자리 숫자와
일의 자리 숫자가 똑같은 수

□

십의 자리 숫자가
일의 자리 숫자보다 큰 수

□ , □

십의 자리 숫자와
일의 자리 숫자의 합이 8인 수

□ , □

숫자 카드를 한 번씩 사용하여 가장 큰 두 자리 수와 가장 작은 두 자리 수를 만들어 보세요.

| 4 | 3 | 6 | 가장 큰 두 자리 수 : 64 |
| | | | 가장 작은 두 자리 수 : 34 |

5　2　1

가장 큰 두 자리 수 :

가장 작은 두 자리 수 :

2　7　5

가장 큰 두 자리 수 :

가장 작은 두 자리 수 :

3　4　5

가장 큰 두 자리 수 :

가장 작은 두 자리 수 :

1　9　8

가장 큰 두 자리 수 :

가장 작은 두 자리 수 :

받아올림이 없는 덧셈

□ 안에 알맞은 수를 써넣으세요.

30 + 2 = □

42 + 5 = □

33 + 4 = □

60 + 9 = □

47 + 2 = □

50 + 4 = □

35 + 4 = □

17 + 2 = □

20 + 2 = □

70 + 8 = □

80 + 4 = □

72 + 4 = □

63 + 5 = □

32 + 6 = □

□ 안에 알맞은 수를 써넣으세요.

31 + 7 = ☐   44 + 5 = ☐

40 + 6 = ☐   40 + 9 = ☐

52 + 4 = ☐   80 + 8 = ☐

80 + 3 = ☐   54 + 3 = ☐

53 + 4 = ☐   66 + 2 = ☐

26 + 3 = ☐   70 + 4 = ☐

62 + 6 = ☐   82 + 5 = ☐

□ 안에 알맞은 수를 써넣으세요.

27 + 2 = ☐   5 + 51 = ☐

5 + 20 = ☐   6 + 32 = ☐

6 + 31 = ☐   7 + 50 = ☐

50 + 5 = ☐   42 + 5 = ☐

35 + 4 = ☐   63 + 3 = ☐

60 + 8 = ☐   2 + 72 = ☐

7 + 22 = ☐   6 + 60 = ☐

□ 안에 알맞은 수를 써넣으세요.

22 + 6 = ☐

4 + 52 = ☐

30 + 8 = ☐

5 + 33 = ☐

9 + 40 = ☐

8 + 20 = ☐

6 + 42 = ☐

52 + 7 = ☐

8 + 61 = ☐

62 + 3 = ☐

55 + 3 = ☐

6 + 80 = ☐

72 + 5 = ☐

7 + 50 = ☐

□ 안에 알맞은 수를 써넣으세요.

23 + 8 = ☐   36 + 8 = ☐

35 + 7 = ☐   44 + 7 = ☐

55 + 6 = ☐   39 + 8 = ☐

47 + 8 = ☐   57 + 9 = ☐

37 + 7 = ☐   24 + 8 = ☐

42 + 8 = ☐   36 + 6 = ☐

76 + 6 = ☐   18 + 9 = ☐

□ 안에 알맞은 수를 써넣으세요.

	2 6		4 5		4 6		3 5
+	7	+	5	+	9	+	8

	6 3		4 7		2 6		5 5
+	9	+	8	+	6	+	6

	3 7		4 4		2 5		5 5
+	9	+	6	+	6	+	7

	7 6		6 4		3 3		5 3
+	8	+	6	+	9	+	9

□ 안에 알맞은 수를 써넣으세요.

33 + 9 = ☐   46 + 9 = ☐

43 + 8 = ☐   45 + 7 = ☐

25 + 8 = ☐   37 + 8 = ☐

46 + 7 = ☐   45 + 7 = ☐

36 + 9 = ☐   54 + 8 = ☐

55 + 8 = ☐   64 + 6 = ☐

64 + 8 = ☐   25 + 6 = ☐

□ 안에 알맞은 수를 써넣으세요.

| 1 8
 +   9 | 2 5
 +   7 | 3 3
 +   8 | 4 5
 +   8 |

1   8
+   9

2   5
+   7

3   3
+   8

4   5
+   8

5   7
+   9

4   6
+   6

3   5
+   7

4   4
+   8

5   3
+   7

4   6
+   7

2   6
+   8

3   4
+   7

6   1
+   9

5   5
+   8

4   4
+   8

7   5
+   7

몇십 만들어 더하기 (2)

□ 안에 알맞은 수를 써넣으세요.

56 + 5 = ☐   36 + 5 = ☐

27 + 5 = ☐   49 + 3 = ☐

49 + 6 = ☐   29 + 4 = ☐

58 + 4 = ☐   37 + 7 = ☐

27 + 7 = ☐   48 + 2 = ☐

28 + 5 = ☐   66 + 4 = ☐

48 + 6 = ☐   39 + 7 = ☐

□ 안에 알맞은 수를 써넣으세요.

```
    2 9          3 8          3 6          2 7
  +   4        +   5        +   6        +   3
  ┌─────┐      ┌─────┐      ┌─────┐      ┌─────┐
  └─────┘      └─────┘      └─────┘      └─────┘


    4 7          5 6          7 5          5 9
  +   6        +   5        +   5        +   4
  ┌─────┐      ┌─────┐      ┌─────┐      ┌─────┐
  └─────┘      └─────┘      └─────┘      └─────┘


    4 9          5 7          4 8          2 9
  +   7        +   3        +   4        +   3
  ┌─────┐      ┌─────┐      ┌─────┐      ┌─────┐
  └─────┘      └─────┘      └─────┘      └─────┘


    3 5          6 6          8 9          6 9
  +   5        +   6        +   3        +   4
  ┌─────┐      ┌─────┐      ┌─────┐      ┌─────┐
  └─────┘      └─────┘      └─────┘      └─────┘
```

□ 안에 알맞은 수를 써넣으세요.

28 + 5 =

48 + 5 =

29 + 5 =

57 + 3 =

39 + 8 =

48 + 6 =

47 + 5 =

59 + 7 =

38 + 7 =

49 + 6 =

39 + 5 =

67 + 3 =

57 + 5 =

49 + 8 =

□ 안에 알맞은 수를 써넣으세요.

$$
\begin{array}{r} 3\ 8 \\ +\quad 3 \\ \hline \end{array}
\qquad
\begin{array}{r} 4\ 8 \\ +\quad 6 \\ \hline \end{array}
\qquad
\begin{array}{r} 2\ 7 \\ +\quad 6 \\ \hline \end{array}
\qquad
\begin{array}{r} 3\ 7 \\ +\quad 5 \\ \hline \end{array}
$$

$$
\begin{array}{r} 5\ 8 \\ +\quad 6 \\ \hline \end{array}
\qquad
\begin{array}{r} 5\ 9 \\ +\quad 4 \\ \hline \end{array}
\qquad
\begin{array}{r} 6\ 7 \\ +\quad 5 \\ \hline \end{array}
\qquad
\begin{array}{r} 3\ 9 \\ +\quad 6 \\ \hline \end{array}
$$

$$
\begin{array}{r} 5\ 9 \\ +\quad 2 \\ \hline \end{array}
\qquad
\begin{array}{r} 4\ 8 \\ +\quad 3 \\ \hline \end{array}
\qquad
\begin{array}{r} 3\ 9 \\ +\quad 5 \\ \hline \end{array}
\qquad
\begin{array}{r} 4\ 6 \\ +\quad 7 \\ \hline \end{array}
$$

$$
\begin{array}{r} 2\ 8 \\ +\quad 7 \\ \hline \end{array}
\qquad
\begin{array}{r} 4\ 7 \\ +\quad 6 \\ \hline \end{array}
\qquad
\begin{array}{r} 5\ 7 \\ +\quad 7 \\ \hline \end{array}
\qquad
\begin{array}{r} 7\ 9 \\ +\quad 1 \\ \hline \end{array}
$$

정답

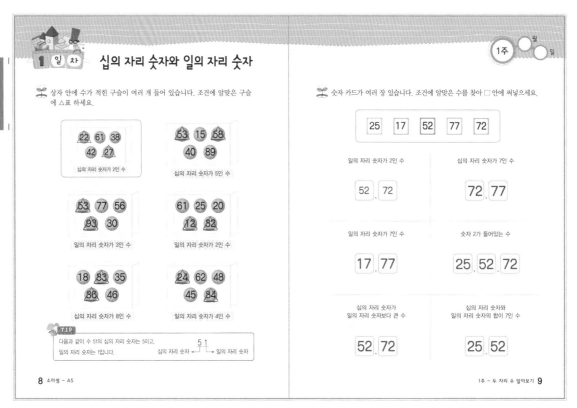

1 일차 십의 자리 숫자와 일의 자리 숫자

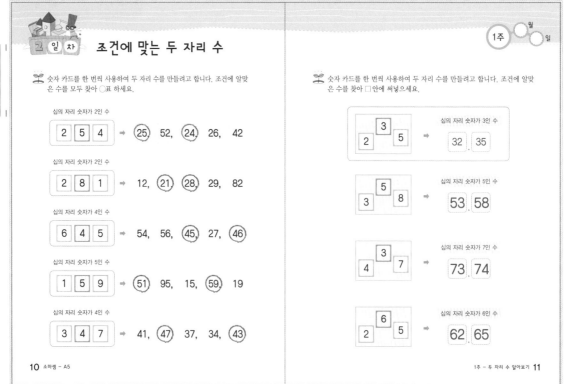

2 일차 조건에 맞는 두 자리 수

십의 자리 숫자가 2인 수

2 5 4 → (25), 52, (24), 26, 42

십의 자리 숫자가 2인 수

2 8 1 → 12, (21), (28), 29, 82

십의 자리 숫자가 4인 수

6 4 5 → 54, 56, (45), 27, (46)

십의 자리 숫자가 5인 수

1 5 9 → (51), 95, 15, (59), 19

십의 자리 숫자가 4인 수

3 4 7 → 41, (47), 37, 34, (43)

3 일 차 **숫자 카드로 만든 두 자리 수**

🌱 숫자 카드를 한 번씩 사용하여 두 자리 수를 만든 것입니다.

| 4 | 5 | 1 |

1 4 → 14	1 5 → 15
4 1 → 41	4 5 → 45
5 1 → 51	5 4 → 54

왼쪽 숫자 카드로 만들 수 있는 두 자리 수를 찾아 ◯표 하세요.

2 1 6 ➡ (12), 15, 20, 46, (61)

3 4 6 ➡ 30, (63), (43), 35, 73

5 6 8 ➡ 66, (85), 28, (58), 25

3 7 9 ➡ (37), 70, 38, (97), 13

12 소마셈 – A5

P 12 ~ 13

🌱 숫자 카드를 한 번씩 사용하여 두 자리 수를 모두 만들어 보세요.

3 6 ➡ 36 , 63

7 2 ➡ 27 , 72

4 9 ➡ 49 , 94

1 2 6 ➡ 12 , 16 , 21 , 26 61 , 62

3 5 8 ➡ 35 , 38 , 53 , 58 83 , 85

1주 – 두 자리 수 알아보기 **13**

---

 4 일 차 **가장 큰 두 자리 수**

🌱 숫자 카드를 한 번씩 사용하여 가장 큰 두 자리 수를 만들어 보세요.

3 5 2 4 → 54

1 3 4 6 → 64

3 9 4 5 → 95

7 8 5 2 → 87

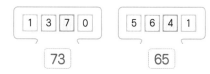

1 3 7 0 → 73

5 6 4 1 → 65

14 소마셈 – A5

P 14 ~ 15

🌱 주머니 안의 숫자 카드로 만들 수 있는 가장 큰 두 자리 수로 알맞은 것을 찾아 선을 그어 보세요.

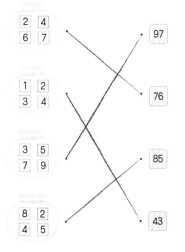

1주 – 두 자리 수 알아보기 **15**

정답

5 일 차 가장 작은 두 자리 수

🌱 숫자 카드를 한 번씩 사용하여 가장 작은 두 자리 수를 만들어 보세요.

| 3 | 0 | 7 | 1 |

10

| 2 | 4 | 1 | 3 |

12

| 4 | 5 | 6 | 7 |

45

| 8 | 5 | 3 | 4 |

34

| 2 | 5 | 4 | 7 |

24

| 9 | 6 | 8 | 3 |

36

16 소마셈 - A5

🌱 숫자 카드로 만들 수 있는 가장 큰 두 자리 수에 ○표, 가장 작은 두 자리 수에 △표 하세요.

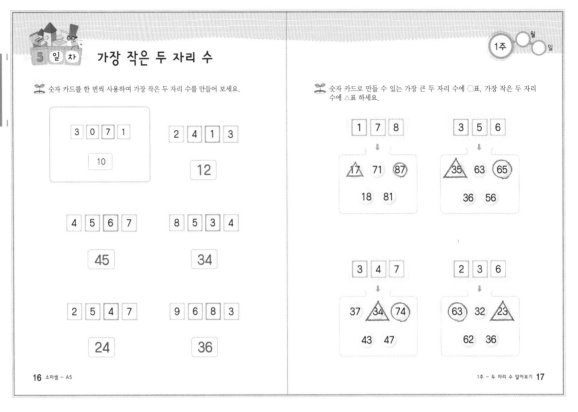

1주 - 두 자리 수 알아보기 17

1 일 차 (몇십) + (몇)

🌱 각 자리의 숫자를 그대로 써서 덧셈을 해 보세요.

20 + 5 = 25

40 + 6 = 46

30 + 9 = 39

20 소마셈 - A5

🌱 □ 안에 알맞은 수를 써넣으세요.

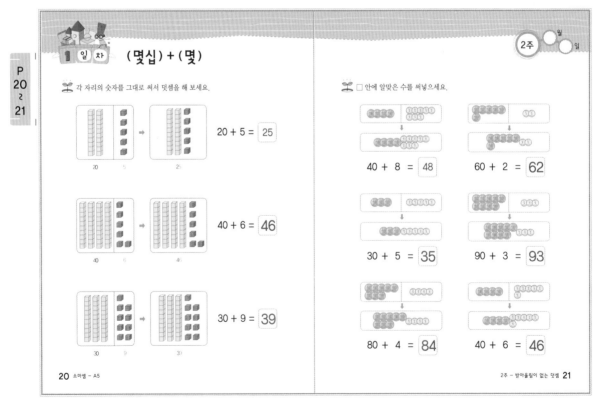

40 + 8 = 48

60 + 2 = 62

30 + 5 = 35

90 + 3 = 93

80 + 4 = 84

40 + 6 = 46

2주 - 받아올림이 없는 덧셈 21

2주

2일차 (몇십 몇) + (몇)

🌱 □ 안에 알맞은 수를 써넣으세요.

40 + 6 = 46   30 + 7 = 37

60 + 2 = 62   40 + 4 = 44

50 + 3 = 53   90 + 5 = 95

50 + 5 = 55   70 + 3 = 73

70 + 8 = 78   20 + 6 = 26

80 + 5 = 85   80 + 9 = 89

22 소마셈 - A5

🌱 일의 자리 숫자끼리 더하여 덧셈을 해 보세요.

    25 + 3 = 28

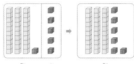   31 + 5 = 36

    42 + 7 = 49

2주 - 받아올림이 없는 덧셈 23

 신나는 연산!

2주 일 일

🌱 □ 안에 알맞은 수를 써넣으세요.

81 + 3 = 84   34 + 5 = 39

42 + 7 = 49   33 + 3 = 36

54 + 4 = 58   62 + 5 = 67

24 소마셈 - A5

🌱 □ 안에 알맞은 수를 써넣으세요.

32 + 4 = 36   41 + 3 = 44

57 + 2 = 59   53 + 5 = 58

63 + 3 = 66   83 + 2 = 85

52 + 4 = 56   73 + 4 = 77

61 + 2 = 63   82 + 6 = 88

23 + 4 = 27   44 + 5 = 49

2주 - 받아올림이 없는 덧셈 25

정답 **89**

3일차 바꾸어 더하기

🌱 □ 안에 알맞은 수를 써넣으세요.

→ 22 + 5 = 27

→ 5 + 22 = 27

→ 34 + 2 = 36

→ 2 + 34 = 36

→ 41 + 4 = 45

→ 4 + 41 = 45

→ 53 + 6 = 59

→ 6 + 53 = 59

26 소마셈 – A5

🌱 □ 안에 알맞은 수를 써넣으세요.

26 + 2 = 28   2 + 72 = 74

5 + 42 = 47   3 + 85 = 88

36 + 3 = 39   92 + 5 = 97

70 + 4 = 74   48 + 1 = 49

7 + 51 = 58   6 + 60 = 66

53 + 5 = 58   5 + 62 = 67

2주 - 받아올림이 없는 덧셈 27

4일차 덧셈 퍼즐

🌱 □ 안에 알맞은 수를 써넣으세요.

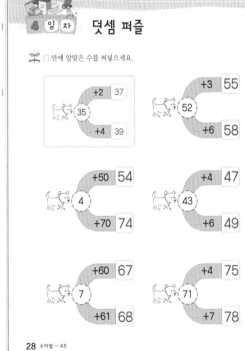

28 소마셈 – A5

🌱 올바른 계산 결과가 되도록 선을 그어 보세요.

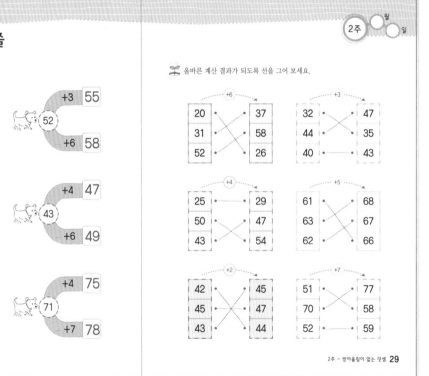

2주 - 받아올림이 없는 덧셈 29

문장제

올바른 계산 결과가 되도록 선을 그어 보세요.

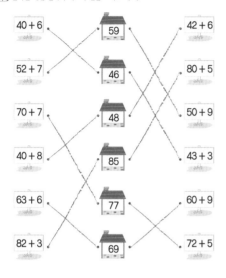

이야기를 읽고, 동준이가 오늘 줄넘기를 넘은 횟수를 구하세요.

동준이는 매일 아침 아빠와 줄넘기를 합니다.
처음에는 몇 번 넘기도 쉽지 않았지만 요즘은 매일 50번씩 줄넘기를 합니다.
"와~ 동준이 실력이 많이 늘었구나!" 아빠가 말했습니다.
"어제는 50번을 넘었었지? 이제 동준이 실력도 많이 늘었으니까 오늘은 어제보다 5번 더 넘어보면 어떨까?"
그러자 동준이가 대답했습니다.
"좋아요! 오늘부터는 5번 더 하기로 해요."
동준이가 오늘 줄넘기를 넘은 횟수는 모두 몇 번일까요?

식 : 50 + 5 = 55   **55** 번

다음을 읽고 알맞은 덧셈식을 쓰고, 답을 구하세요.

준영이는 어제 동화책 42쪽을 읽었고, 오늘은 어제보다 6쪽 더 읽었습니다. 준영이는 오늘 동화책을 모두 몇 쪽 읽었을까요?

식 : 42 + 6 = 48   **48** 쪽

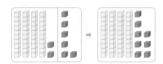

바구니에 귤 30개와 사과 9개가 있습니다. 바구니에 있는 귤과 사과는 모두 몇 개일까요?

식 : 30 + 9 = 39   **39** 개

다음을 읽고 알맞은 덧셈식을 쓰고, 답을 구하세요.

주머니 안에 빨간색 구슬이 62개, 파란색 구슬이 4개 있습니다. 주머니 안에 있는 구슬은 모두 몇 개일까요?

식 : 62 + 4 = 66   **66** 개

연못에 개구리 32마리와 오리 6마리가 있습니다. 연못에 있는 개구리와 오리는 모두 몇 마리일까요?

식 : 32 + 6 = 38   **38** 마리

운동장에 여자 어린이가 70명 있습니다. 남자 어린이는 여자 어린이보다 4명 더 있습니다. 남자 어린이는 모두 몇 명일까요?

식 : 70 + 4 = 74   **74** 명

2주

P 34

🌱 다음을 읽고 알맞은 덧셈식을 쓰고, 답을 구하세요.

주영이의 엄마는 34살입니다. 아빠는 엄마보다 5살 더 많습니다. 주영이의 아빠는 몇 살일까요?

식 : $34 + 5 = 39$ 39 살

사과나무 61그루와 배나무 7그루가 있습니다. 사과나무와 배나무는 모두 몇 그루일까요?

식 : $61 + 7 = 68$ 68 그루

흰색 바둑돌 73개가 있습니다. 검은색 바둑돌은 흰색 바둑돌보다 4개가 더 많습니다. 검은색 바둑돌은 몇 개일까요?

식 : $73 + 4 = 77$ 77 개

34 소마셈 – A5

 🔲 구하기

3주 일 일

P 36 ~ 37

🌱 그림을 보고 일의 자리 수의 합을 10으로 만들어 🔲를 구하세요.

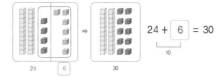 $24 + \boxed{6} = 30$

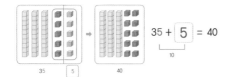 $35 + \boxed{5} = 40$

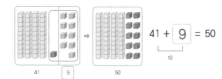 $41 + \boxed{9} = 50$

🌱 🔲 안에 알맞은 수를 써넣으세요.

$42 + \boxed{8} = 50$ $31 + \boxed{9} = 40$

$26 + \boxed{4} = 30$ $44 + \boxed{6} = 50$

$57 + \boxed{3} = 60$ $63 + \boxed{7} = 70$

$31 + \boxed{9} = 40$ $48 + \boxed{2} = 50$

$18 + \boxed{2} = 20$ $33 + \boxed{7} = 40$

$43 + \boxed{7} = 50$ $74 + \boxed{6} = 80$

36 소마셈 – A5   3주 – 몇십 만들어 더하기 ⑴ 37

2 일 차 몇십 만들어 더하기

🌱 그림을 보고 뒤의 수를 갈라 몇십을 만들어 덧셈을 해 보세요.

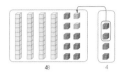

$48 + 4 = 48 + 2 + 2 = 50 + 2 = \boxed{52}$

$36 + 7 = 36 + 4 + 3 = 40 + 3 = \boxed{43}$

TIP
두 자리 수가 몇십이 되도록 뒤의 수를 갈라 먼저 더한 후 남은 수를 더하도록 합니다.

38 소마셈 – A5

3주

🌱 그림을 보고 뒤의 수를 갈라 몇십을 만들어 덧셈을 해 보세요.

$25 + 7 = 30 + 2 = \boxed{32}$

$37 + 5 = 40 + 2 = \boxed{42}$

$38 + 9 = 40 + 7 = \boxed{47}$

3주 - 몇십 만들어 더하기 ⑴ **39**

3주

🌱 뒤의 수를 갈라 몇십을 만들어 덧셈을 해 보세요.

$26 + 6 = 30 + 2 = \boxed{32}$

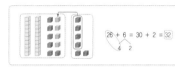

$27 + 9 = \boxed{36}$ 　$34 + 8 = \boxed{42}$

$16 + 7 = \boxed{23}$ 　$54 + 8 = \boxed{62}$

$34 + 6 = \boxed{40}$ 　$37 + 7 = \boxed{44}$

$48 + 5 = \boxed{53}$ 　$33 + 9 = \boxed{42}$

$64 + 7 = \boxed{71}$ 　$35 + 6 = \boxed{41}$

40 소마셈 – A5

---

 3 일 차 덧셈 퍼즐

🌱 □ 안에 알맞은 수를 써넣으세요.

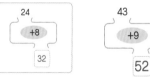

24 +8 32　　43 +9 52

36 +7 43　　64 +8 72

46 +6 52　　53 +9 62

3주 - 몇십 만들어 더하기 ⑴ **41**

정답 **93**

정답

P
42
~
43

신나는 연산!

올바른 계산 결과가 되도록 길을 그려 보세요.

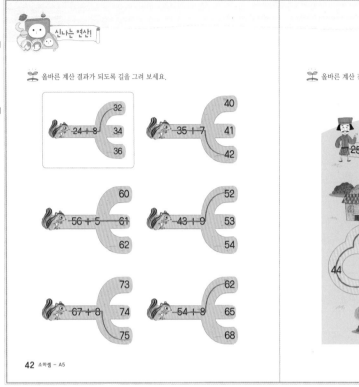

24 + 8 → 32 / **34** / 36

35 + 7 → 40 / 41 / **42**

56 + 5 → 60 / **61** / 62

43 + 9 → **52** / 53 / 54

67 + 8 → 73 / 74 / **75**

54 + 8 → **62** / 65 / 68

42 소마셈 − A5

3주 ○○ 월 ○ 일

올바른 계산 결과가 되도록 길을 그려 보세요.

25 + 9 → 34 / **32**
44 + 8 → **52**
42
36 + 8 → **44** / 42 / 70
63 + 7 → 71 / **70**
55 + 9 → **64** / 62

3주 − 몇십 만들어 더하기 ⑴ 43

P
44
~
45

4 일 차

세로셈

일의 자리, 십의 자리의 위치를 맞추어 □ 안에 알맞은 수를 써넣으세요.

일		십		십	일
1			1		1
4	3	4	3	4	3
+	9	+	9	+	9
	2		5	**5**	**2**

3 + 9 = 12   1 + 4 = 5

일		십		십	일
1			1		1
2	6	2	6	2	6
+	7	+	7	+	7
	3		3	**3**	**3**

일		십		십	일
1			1		1
3	6	3	6	3	6
+	8	+	8	+	8
	4		4	**4**	**4**

44 소마셈 − A5

3주 ○○ 월 ○ 일

□ 안에 알맞은 수를 써넣으세요.

3 5   5 4   4 8
+   9   +   7   +   9
4 4   **6 1**   **5 7**

  3 6   4 5   7 3
+   6   +   6   +   8
4 2   **5 1**   **8 1**

  4 7   6 3   5 5
+   7   +   9   +   7
5 4   **7 2**   **6 2**

3주 − 몇십 만들어 더하기 ⑴ 45

94 소마셈 − A5

올바른 계산 결과를 찾아 선을 그어 보세요.

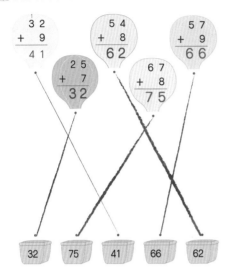

$$\begin{array}{r} 3\ 2 \\ +\ \ 9 \\ \hline 4\ 1 \end{array}$$

$$\begin{array}{r} 5\ 4 \\ +\ \ 8 \\ \hline 6\ 2 \end{array}$$

$$\begin{array}{r} 5\ 7 \\ +\ \ 9 \\ \hline 6\ 6 \end{array}$$

$$\begin{array}{r} 2\ 5 \\ +\ \ 7 \\ \hline 3\ 2 \end{array}$$

$$\begin{array}{r} 6\ 7 \\ +\ \ 8 \\ \hline 7\ 5 \end{array}$$

32 75 41 66 62

46 소마셈 - A5

P 46 ~ 47

이야기를 읽고, 주미의 생일이 며칠인지 구하세요.

어느 날 아침, 주미는 잠에서 깨어 눈을 뜨자마자 달력 앞으로 달려왔습니다. 그 모습을 본 엄마가 주미에게 말했습니다.
"주미야 무슨 일이니?"
달력을 보며 주미가 대답했습니다.
"엄마! 오늘이 3월 23일이니까 내 생일이 되려면 8일이나 더 있어야 되는 것 맞죠?"
"응. 주미가 생일이 많이 기다려지나 보구나. 며칠 후에 근사한 파티를 하도록 하자."
주미의 생일은 3월 며칠일까요?

식 : $23 + 8 = 31$ 31 일

3주 - 몇십 만들어 더하기 ⑴ 47

신나는 연산!

다음을 읽고 알맞은 덧셈식을 쓰고, 답을 구하세요.

기차에 48명의 사람이 타고 있습니다. 다음 역에서 내린 사람은 없고 4명이 더 탔다면 기차에 타고 있는 사람은 모두 몇 명일까요?

식 : $48 + 4 = 52$ 52 명

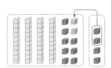

소마 초등학교 어린이 35명이 소풍을 가기로 했습니다. 선생님 6명이 함께 간다면 소풍을 가는 사람은 모두 몇 명일까요?

식 : $35 + 6 = 41$ 41 명

48 소마셈 - A5

P 48 ~ 49

다음을 읽고 알맞은 덧셈식을 쓰고, 답을 구하세요.

파란색 풍선이 54개, 초록색 풍선이 9개있습니다. 풍선은 모두 몇 개일까요?

식 : $54 + 9 = 63$ 63 개

매표소에 45명이 줄을 서 있습니다. 7명이 더 왔다면 줄을 서 있는 사람은 모두 몇 명일까요?

식 : $45 + 7 = 52$ 52 명

수정이는 구슬 36개를 가지고 있습니다. 동민이는 수정보다 9개를 더 가지고 있습니다. 동민이가 가진 구슬은 몇 개일까요?

식 : $36 + 9 = 45$ 45 개

3주 - 몇십 만들어 더하기 ⑴ 49

3주

다음을 읽고 알맞은 덧셈식을 쓰고, 답을 구하세요.

초콜릿 27개와 사탕 8개가 있습니다. 초콜릿과 사탕은 모두 몇 개일까요?

식 : $27 + 8 = 35$ **35** 개

선영이의 아빠는 34살입니다. 고모는 아빠보다 7살이 더 많습니다. 선영이의 고모는 몇 살일까요?

식 : $34 + 7 = 41$ **41** 살

강아지 42마리와 고양이 9마리가 있습니다. 강아지와 고양이는 모두 몇 마리일까요?

식 : $42 + 9 = 51$ **51** 마리

50 소마셈 – A5

P 50

P 52 ~ 53

4주

월 일

몇십 만들어 더하기

그림을 보고 뒤의 수를 갈라 몇십을 만들어 덧셈을 해 보세요.

$26 + 5 = 30 + 1 = \boxed{31}$
4 1
26   5

$37 + 7 = 40 + 4 = \boxed{44}$
3 4
37   7

$49 + 4 = 50 + 3 = \boxed{53}$
1 3
49   4

그림을 보고 뒤의 수를 갈라 몇십을 만들어 덧셈을 해 보세요.

$27 + 6 = 30 + \boxed{3} = \boxed{33}$
3 3
27   6

$38 + 7 = 40 + \boxed{5} = \boxed{45}$
2 5
38   7

$46 + 5 = 50 + \boxed{1} = \boxed{51}$
4 1
46   5

52 소마셈 – A5

4주 – 몇십 만들어 더하기 (2) 53

수직선과 수 막대

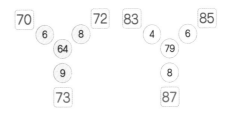

(페이지 54)

🌱 뒤의 수를 갈라 몇십을 만들어 덧셈을 해 보세요.

28 + 5 = [33]
  ⌃
  2 3

17 + 7 = [24]

37 + 5 = [42]   27 + 6 = [33]

19 + 7 = [26]   46 + 5 = [51]

28 + 6 = [34]   56 + 6 = [62]

49 + 5 = [54]   57 + 6 = [63]

49 + 6 = [55]   68 + 4 = [72]

(페이지 55) 2 일차 수직선과 수 막대

🌱 수직선을 보고, □ 안에 알맞은 수를 써넣으세요.

37 ——— 5
[42]
37 + 5 = [42]

49 ——— 4
[53]
49 + 4 = [53]

38 ——— 7
[45]
38 + 7 = [45]

57 ——— 6
[63]
57 + 6 = [63]

48 ——— 8
[56]
48 + 8 = [56]

(페이지 56) 4주

🌱 수 막대를 보고, □ 안에 알맞은 수를 써넣으세요.

| 47 | 7 |
| 54 | |
47 + 7 = [54]

| 38 | 5 |
| 43 | |
38 + 5 = [43]

| 56 | 6 |
| 62 | |
56 + 6 = [62]

| 39 | 8 |
| 47 | |
39 + 8 = [47]

| 68 | 6 |
| 74 | |
68 + 6 = [74]

(페이지 57) 3 일차 덧셈 퍼즐

🌱 □ 안에 알맞은 수를 써넣으세요.

[32] 27 + 5 = 32
(5)
(27)
(7) (9)
[34]   [36]
27 + 7 = 34   27 + 9 = 36

[61]
(3)
(58)
(5) (7)
[63]   [65]

[70]   [72]
(6) (8)
(64)
(9)
[73]

[83]   [85]
(4) (6)
(79)
(8)
[87]

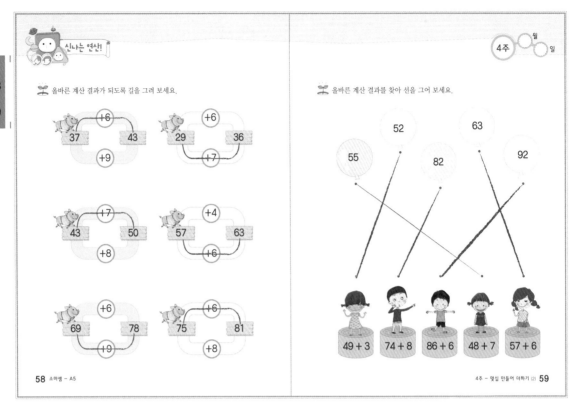

올바른 계산 결과가 되도록 길을 그려 보세요.

올바른 계산 결과를 찾아 선을 그어 보세요.

세로셈

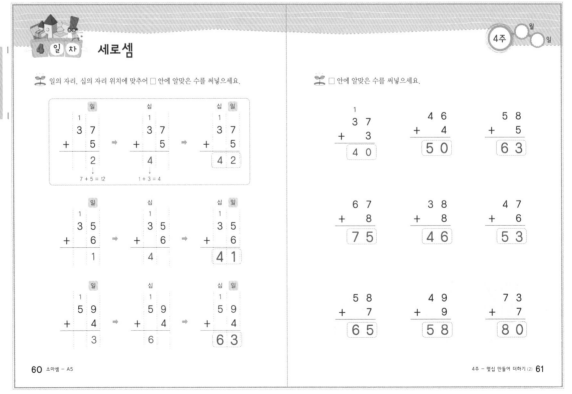

일의 자리, 십의 자리 위치에 맞추어 □ 안에 알맞은 수를 써넣으세요.

□ 안에 알맞은 수를 써넣으세요.

올바른 계산 결과를 찾아 선을 그어 보세요.

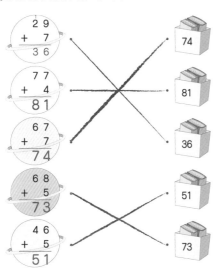

```
  2 9
+   7
-----
  3 6
```

```
  7 7
+   4
-----
  8 1
```

```
  6 7
+   7
-----
  7 4
```

```
  6 8
+   5
-----
  7 3
```

```
  4 6
+   5
-----
  5 1
```

74
81
36
51
73

---

 5 일 차 문장제

이야기를 읽고, 지수네 반 학생 수를 구하세요.

오늘 지수네 반에서는 미술시간에 도화지로 모자를 만들기로 했습니다.
"여러분! 준비물은 모두 가져 왔나요? 가져온 사람은 손을 들어 보세요."라고 선생님께서 말씀하셨습니다.
그러자 29명의 학생들이 손을 들었습니다.
"그럼 5명은 안 가져왔구나. 오늘은 선생님이 도화지를 줄 테니 다음 번 준비물은 꼭 챙겨오도록 하세요!"
지수네 반 학생은 모두 몇 명일까요?

식 : $29 + 5 = 34$ **34** 명

다음을 읽고 알맞은 덧셈식을 쓰고, 답을 구하세요.

현주는 사탕 38개를 가지고 있고, 민지는 사탕 7개를 가지고 있습니다. 현주와 민지가 가진 사탕은 모두 몇 개일까요?

식 : $38 + 7 = 45$ **45** 개

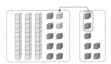

형규는 구슬을 47개 가지고 있습니다. 문구점에서 구슬 4개를 더 샀다면 형규가 가진 구슬은 모두 몇 개일까요?

식 : $47 + 4 = 51$ **51** 개

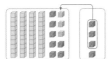

다음을 읽고 알맞은 덧셈식을 쓰고, 답을 구하세요.

호빵이 26개 있습니다. 엄마가 호빵 6개를 더 가지고 오셨다면 호빵은 모두 몇 개일까요?

식 : $26 + 6 = 32$ **32** 개

영주는 56장의 우표를 모았습니다. 8장을 더 모았다면 영주가 가진 우표는 모두 몇 장일까요?

식 : $56 + 8 = 64$ **64** 장

꽃병에 장미 48송이와 해바라기 6송이가 있습니다. 꽃병의 꽃은 모두 몇 송이일까요?

식 : $48 + 6 = 54$ **54** 송이

4주

P 66

🌱 다음을 읽고 알맞은 덧셈식을 쓰고, 답을 구하세요.

상자 안에 야구공 59개와 축구공 5개가 있습니다. 상자 안의 야구공과 축구공은 모두 몇 개일까요?

식 : $59 + 5 = 64$ **64** 개

희연이는 볼펜 38자루, 색연필 8자루를 가지고 있습니다. 희연이가 가진 볼펜과 색연필은 모두 몇 자루일까요?

식 : $38 + 8 = 46$ **46** 자루

검은 고양이 27마리와 흰 고양이가 6마리가 있습니다. 고양이는 모두 몇 마리일까요?

식 : $27 + 6 = 33$ **33** 마리

1주차 (drill) **두 자리 수 알아보기**

P 68~69

숫자 카드가 여러 장 있습니다. 조건에 알맞은 수를 찾아 □ 안에 써넣으세요.

| 45 | 33 | 54 | 41 | 85 |

십의 자리 숫자가 4인 수
41 , **45**

일의 자리 숫자가 5인 수
45 , **85**

숫자 5가 들어있는 수
45 , **54** , **85**

십의 자리 숫자와
일의 자리 숫자가 똑같은 수
33

십의 자리 숫자가
일의 자리 숫자보다 큰 수
41 , **54** , **85**

십의 자리 숫자와
일의 자리 숫자의 합이 9인 수
45 , **54**

숫자 카드를 한 번씩 사용하여 가장 큰 두 자리 수와 가장 작은 두 자리 수를 만들어 보세요.

| 3 | 5 | 2 | 가장 큰 두 자리 수 : **53**
가장 작은 두 자리 수 : **23**

| 1 | 3 | 4 | 가장 큰 두 자리 수 : **43**
가장 작은 두 자리 수 : **13**

| 3 | 9 | 4 | 가장 큰 두 자리 수 : **94**
가장 작은 두 자리 수 : **34**

| 7 | 8 | 6 | 가장 큰 두 자리 수 : **87**
가장 작은 두 자리 수 : **67**

| 2 | 4 | 8 | 가장 큰 두 자리 수 : **84**
가장 작은 두 자리 수 : **24**

1주차

숫자 카드가 여러 장 있습니다. 조건에 알맞은 수를 찾아 □ 안에 써넣으세요.

| 63 | 35 | 16 | 33 | 62 |

십의 자리 숫자가 6인 수
62, 63

일의 자리 숫자가 3인 수
33, 63

숫자 3이 들어있는 수
33, 35, 63

십의 자리 숫자와
일의 자리 숫자가 똑같은 수
33

십의 자리 숫자가
일의 자리 숫자보다 큰 수
62, 63

십의 자리 숫자와
일의 자리 숫자의 합이 8인 수
35, 62

숫자 카드를 한 번씩 사용하여 가장 큰 두 자리 수와 가장 작은 두 자리 수를 만들어 보세요.

| 4 | 3 | 6 |
가장 큰 두 자리 수 : 64
가장 작은 두 자리 수 : 34

| 5 | 2 | 1 |
가장 큰 두 자리 수 : 52
가장 작은 두 자리 수 : 12

| 2 | 7 | 5 |
가장 큰 두 자리 수 : 75
가장 작은 두 자리 수 : 25

| 3 | 4 | 5 |
가장 큰 두 자리 수 : 54
가장 작은 두 자리 수 : 34

| 1 | 9 | 8 |
가장 큰 두 자리 수 : 98
가장 작은 두 자리 수 : 18

2주차 받아올림이 없는 덧셈

□ 안에 알맞은 수를 써넣으세요.

$30 + 2 = 32$ $17 + 2 = 19$

$42 + 5 = 47$ $20 + 2 = 22$

$33 + 4 = 37$ $70 + 8 = 78$

$60 + 9 = 69$ $80 + 4 = 84$

$47 + 2 = 49$ $72 + 4 = 76$

$50 + 4 = 54$ $63 + 5 = 68$

$35 + 4 = 39$ $32 + 6 = 38$

□ 안에 알맞은 수를 써넣으세요.

$31 + 7 = 38$ $44 + 5 = 49$

$40 + 6 = 46$ $40 + 9 = 49$

$52 + 4 = 56$ $80 + 8 = 88$

$80 + 3 = 83$ $54 + 3 = 57$

$53 + 4 = 57$ $66 + 2 = 68$

$26 + 3 = 29$ $70 + 4 = 74$

$62 + 6 = 68$ $82 + 5 = 87$

2주차

P
74
~
75

□ 안에 알맞은 수를 써넣으세요.

27 + 2 = 29 5 + 51 = 56

5 + 20 = 25 6 + 32 = 38

6 + 31 = 37 7 + 50 = 57

50 + 5 = 55 42 + 5 = 47

35 + 4 = 39 63 + 3 = 66

60 + 8 = 68 2 + 72 = 74

7 + 22 = 29 6 + 60 = 66

□ 안에 알맞은 수를 써넣으세요.

22 + 6 = 28 4 + 52 = 56

30 + 8 = 38 5 + 33 = 38

9 + 40 = 49 8 + 20 = 28

6 + 42 = 48 52 + 7 = 59

8 + 61 = 69 62 + 3 = 65

55 + 3 = 58 6 + 80 = 86

72 + 5 = 77 7 + 50 = 57

3주차 몇십 만들어 더하기 (1)

P
76
~
77

□ 안에 알맞은 수를 써넣으세요.

23 + 8 = 31 36 + 8 = 44

35 + 7 = 42 44 + 7 = 51

55 + 6 = 61 39 + 8 = 47

47 + 8 = 55 57 + 9 = 66

37 + 7 = 44 24 + 8 = 32

42 + 8 = 50 36 + 6 = 42

76 + 6 = 82 18 + 9 = 27

□ 안에 알맞은 수를 써넣으세요.

$$\begin{array}{r} 2\ 6 \\ +\ \ 7 \\ \hline 3\ 3 \end{array}\quad \begin{array}{r} 4\ 5 \\ +\ \ 5 \\ \hline 5\ 0 \end{array}\quad \begin{array}{r} 4\ 6 \\ +\ \ 9 \\ \hline 5\ 5 \end{array}\quad \begin{array}{r} 3\ 5 \\ +\ \ 8 \\ \hline 4\ 3 \end{array}$$

$$\begin{array}{r} 6\ 3 \\ +\ \ 9 \\ \hline 7\ 2 \end{array}\quad \begin{array}{r} 4\ 7 \\ +\ \ 8 \\ \hline 5\ 5 \end{array}\quad \begin{array}{r} 2\ 6 \\ +\ \ 6 \\ \hline 3\ 2 \end{array}\quad \begin{array}{r} 5\ 5 \\ +\ \ 6 \\ \hline 6\ 1 \end{array}$$

$$\begin{array}{r} 3\ 7 \\ +\ \ 9 \\ \hline 4\ 6 \end{array}\quad \begin{array}{r} 4\ 4 \\ +\ \ 6 \\ \hline 5\ 0 \end{array}\quad \begin{array}{r} 2\ 5 \\ +\ \ 6 \\ \hline 3\ 1 \end{array}\quad \begin{array}{r} 5\ 5 \\ +\ \ 7 \\ \hline 6\ 2 \end{array}$$

$$\begin{array}{r} 7\ 6 \\ +\ \ 8 \\ \hline 8\ 4 \end{array}\quad \begin{array}{r} 6\ 4 \\ +\ \ 6 \\ \hline 7\ 0 \end{array}\quad \begin{array}{r} 3\ 3 \\ +\ \ 9 \\ \hline 4\ 2 \end{array}\quad \begin{array}{r} 5\ 3 \\ +\ \ 9 \\ \hline 6\ 2 \end{array}$$

□ 안에 알맞은 수를 써넣으세요.

33 + 9 = 42   46 + 9 = 55

43 + 8 = 51   45 + 7 = 52

25 + 8 = 33   37 + 8 = 45

46 + 7 = 53   45 + 7 = 52

36 + 9 = 45   54 + 8 = 62

55 + 8 = 63   64 + 6 = 70

64 + 8 = 72   25 + 6 = 31

□ 안에 알맞은 수를 써넣으세요.

1 8	2 5	3 3	4 5
+ 9	+ 7	+ 8	+ 8
2 7	3 2	4 1	5 3

5 7	4 6	3 5	4 4
+ 9	+ 6	+ 7	+ 8
6 6	5 2	4 2	5 2

5 3	4 6	2 6	3 4
+ 7	+ 7	+ 8	+ 7
6 0	5 3	3 4	4 1

6 1	5 5	4 4	7 5
+ 9	+ 8	+ 8	+ 7
7 0	6 3	5 2	8 2

P 78 ~ 79

몇십 만들어 더하기 (2)

□ 안에 알맞은 수를 써넣으세요.

56 + 5 = 61   36 + 5 = 41

27 + 5 = 32   49 + 3 = 52

49 + 6 = 55   29 + 4 = 33

58 + 4 = 62   37 + 7 = 44

27 + 7 = 34   48 + 2 = 50

28 + 5 = 33   66 + 4 = 70

48 + 6 = 54   39 + 7 = 46

□ 안에 알맞은 수를 써넣으세요.

2 9	3 8	3 6	2 7
+ 4	+ 5	+ 6	+ 3
3 3	4 3	4 2	3 0

4 7	5 6	7 5	5 9
+ 6	+ 5	+ 5	+ 4
5 3	6 1	8 0	6 3

4 9	5 7	4 8	2 9
+ 7	+ 3	+ 4	+ 3
5 6	6 0	5 2	3 2

3 5	6 6	8 9	6 9
+ 5	+ 6	+ 3	+ 4
4 0	7 2	9 2	7 3

P 80 ~ 81

4주차 drill

□ 안에 알맞은 수를 써넣으세요.

28 + 5 = 33   48 + 5 = 53

29 + 5 = 34   57 + 3 = 60

39 + 8 = 47   48 + 6 = 54

47 + 5 = 52   59 + 7 = 66

38 + 7 = 45   49 + 6 = 55

39 + 5 = 44   67 + 3 = 70

57 + 5 = 62   49 + 8 = 57

82 소마셈 – A5

□ 안에 알맞은 수를 써넣으세요.

```
  3 8      4 8      2 7      3 7
+   3    +   6    +   6    +   5
  4 1      5 4      3 3      4 2

  5 8      5 9      6 7      3 9
+   6    +   4    +   5    +   6
  6 4      6 3      7 2      4 5

  5 9      4 8      3 9      4 6
+   2    +   3    +   5    +   7
  6 1      5 1      4 4      5 3

  2 8      4 7      5 7      7 9
+   7    +   6    +   7    +   1
  3 5      5 3      6 4      8 0
```

Drill – 보충학습 83

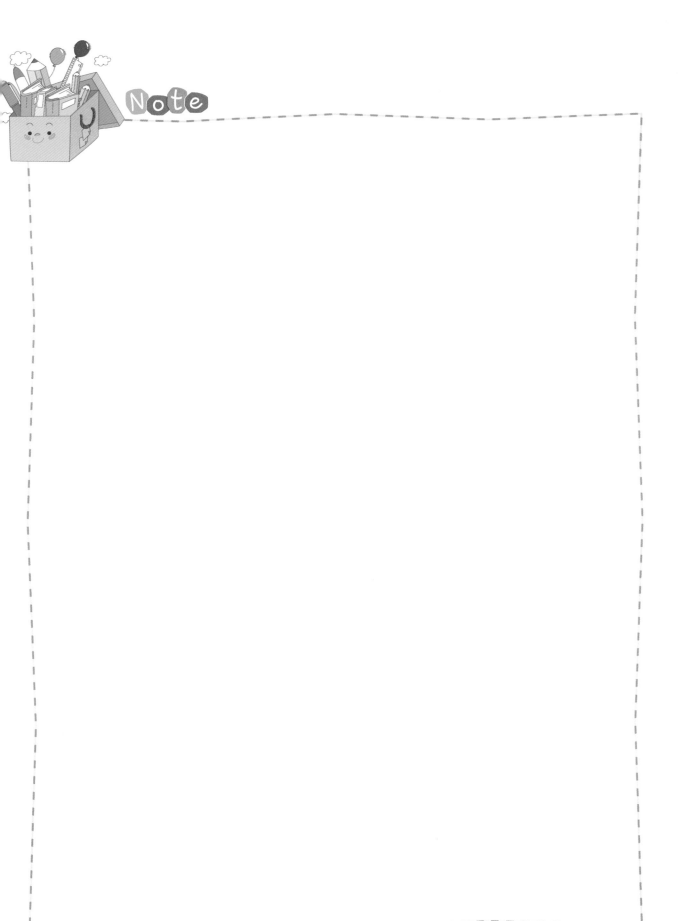

Note